メタトレ研究所
プロFXトレーダー
Hiro ヒロ

どシンプル FX

裁量で月収203万
だった僕が、
月収48万の自動売買
に転向した理由

ぱる出版

本書を「裁量トレーダー」 にも読んでほしい理由

自動売買転向で収入は裁量の4分の1になったけど…

　初めまして、僕は3.1万人の方にチャンネル登録していただいている**YouTubeチャンネル「メタトレ研究所FX Trader Hiro Channel」**のヒロです。

　Twitter（@hirospeculation）では日々のトレード記録をありのまま、きっちり勝てたときも、負けたときも包み隠さず公開しています。

　図1は、僕が本格的に裁量トレードを開始した2015年から2017年10月まで、その後、専業の中でも「システム（自動売買）

図1　ヒロのFX年間成績表

5年8か月で総額5196万円の利益

裁量成績	2015年	990万円
	2016年	2446万円 ← 月収203.8万円
	2017年（〜10月）	608万円
システム成績	2017年（11月〜）	585万円
	2018年（11月〜）	260万円
	2019年（11月〜2020年6月）	307万円

月収48.7万円　　　1152万円

トレーダー」になる道を選んだ2017年11月から2020年6月までのFX年間成績です。ちなみに、「システムトレード」とは、コンピュータ言語を使って、自分が思いついたトレードプランを自動売買システムに落とし込み、自分の代わりにそのシステムが実際のトレードを行う取引スタイルのこと。自動売買とシステムはほぼ同じ意味です。

　2015年から専業トレーダーとして本格稼働し、早6年が経とうとしています。

　FX1本で、約6年のトータル利益が約5000万円という成績がまぁまぁなのか、たいしたことでないのか、ご判断は読者のみなさんにお任せします。

　裁量トレーダーとしての僕は、2016年の年間利益2446万9291円が過去最高記録。月収にして、**203.8万円**です。

　対して、**2017年11月～2018年10月の585万5282円**が僕の自動売買の1年間の最高成績。月収にして**48.7万円**。ほぼ4分の1に減りました。

　でも、僕は1mmも後悔していません。なぜって、その理由は……本編に譲るとしましょう。

シストレ・裁量トレーダーを問わず役立つ本

　さて本書では、**2年8か月で1152万円を稼いだ僕のシステムポートフォリオの中の一部になっているロジック、「Clipper M」**の詳細をご紹介します。

　かといって、プログラムをMT4にインストールさせて、「はい、一丁上がり。これであなたも儲けられますよ」という、うさんくさい本ではありません。

　本書は、**システムトレーダーだけでなく、裁量トレーダーの方**

にとってもヒントになるような僕の手法を公開する本です。ソフトの使い方やプログラムの作り方については解説しません。

　FXのシステムに求められているのは、「難しさ」「複雑さ」ではなく、実は「シンプルさ」「単純さ」「わかりやすさ」。

　この点は、僕も完全に誤解していました。

　システムトレードを目指していた頃は、複雑なロジックを細かいレベルまで綿密に書ける技術が必要だ、頑張んなきゃ、と焦ってました。

　でも、実際にバックテストを何度も何度も行って、「このシステムなら実戦で勝てる」と確信し、実際に運用して利益を上げることができた手法なりアイデアは、当初、僕が抱いていたシステムトレードのイメージとはまったく別物、180度正反対の「非常に単純な、とってもゆるいロジック」だったんです。

　僕のSNSのフォロワーの方は、僕が難しい分析や複雑な運用をしているとイメージされているでしょう。

　実際のところは、ほとんどの人が思っている以上にシンプルで単純。「なんだ、こんな当たり前の手法だったのか!?」と怒り出す人もいるレベルでしょう。シンプルもシンプルで、「どシンプル」と呼ぶにふさわしい簡単な手法です。

「ClipperM」の威力をバックテストで検証

　それでも、その威力は絶大。Clipper Mの力を過去検証ソフトで試してみましょう。

　2016年から2018年末までの約1000日間で、Clipper Mを運用したらどうなるか？　取引コストにあたるスプレッドは1pipsに設定しています。詳細は本編で後述しますが、図2のとおり、3年間回して、実際に行われた取引は264回。当初の証拠金1万

ドルは**3年間が経過し、264回目の取引が終了した時点で2万4047.72ドルまで増える**という検証結果になりました。

　資産倍増どころか、2.4倍増に成功し、獲得利益は1万4047.72ドル。これは過去検証であって、**実際の運用では利益も再投資しているので、稼げる金額はこんなものではすみません。データ以上にもっと稼げるシステム**です。

「裁量トレーダー＋システム的発想」＝最強

　誰に本書を読んでほしいか？　**現役システムトレーダーの方や、システムトレーダー志望の方には、当然、役に立つでしょう。**

　でも、実は裁量トレーダーの方にこそ読んでほしい本です。なぜなら、絶対力になれる自信があるから。稼げるトレーダーになるヒントが満載だと自信を持っています。その理由は3つ。

図2　Clipper M・2016.1-2018.12のバックテストデータ

過去検証でわかったClipper Mの実力！

取引回数	264回
証拠金	10,000ドル
獲得総利益	14,047.72ドル
勝率	54.55%
プロフィットファクター	1.54
総獲得pips	39853.38pips
最大ドローダウン	2854.35pips（11.27%）

①ClipperMは手動で回したほうが稼げる

単純なロジックなので、裁量で回すことは当然できます。

コンピュータ言語をゼロから覚えるのは、時間がかかりますが、裁量で回してしまえば今日からだってできます。そして、大切なのは、**ClipperMは裁量で回すほうが、稼げる可能性が高いということ。第4章で記しますが、自動売買ゆえの弱点を裁量で補う**ことができるからです。

②トレードのメンタルへの影響を知ってほしい

心拍計や、血中酸素濃度を測るパルスオキシメーターという機械を買い込んだことがあります。そして、その機械を耳たぶや指につけて実際にトレードしてみました。目的は**トレードのメンタルへの影響を数値化するため**です。他人から見るとかなり頭のいかれた実験ですが、当時の僕は本気でした。

医学書を読むと、平常時より心拍数は1分間でおよそ50回、血中酸素濃度は98〜99が普通で、95を下回るとかなりヤバイと書かれていました。

しかし、トレード中の自分の心拍数は、どんなに冷静にトレードしていても、平常時の50から70ぐらいまでは上がってしまいました。血中酸素濃度も95まで下がることはありませんでしたが、**平時よりも1、2ポイント低下し、一種の酸欠状態になっている**ことがわかりました（笑）。これはあくまで僕1人の実験結果であり、FXトレーダーの一般的な傾向ではないかもしれません。

でも、どう考えても、トレード時の心拍数や血中酸素濃度は、メンタルが強い人でも上がることはあっても下がることはないはずです。なんていうか、**トレードは、心とか時間とかいろいろなものをむしばむ可能性があります。**

FXの手法を紹介する本でこんなことを言うのはなんですが、

本書を読んで、FXの怖さにも気づいてほしい、そして、「**どんなトレーダーになりたいか**」という**自分の理想像を思い描いてほしい**と思います。

　単純に稼ぐだけなら、僕の成績を見てもわかるように、裁量のほうが適しています。でも、FXで稼ぐことは目的ではなくて、あくまで幸せになるための手段ということを、思い出してほしいのです。青臭い意見かもしれませんが……。

③過去検証を経ずして行うトレードはギャンブル

　システムトレーダーにとって、過去検証はマストですが、裁量は過去検証をしなくてもできるのが落とし穴。

　自分自身でトレードを行う**裁量トレーダーこそ、自分の手法がどれぐらいの期待値なのか、ちゃんと過去検証してデータをとるべき**。そう僕は思っていますし、僕の周りのトレーダーで「過去検証なんてしたことない」っていう人はあまりいません。

　FXを始めたばかりの初心者の方や、過去のトレードを振り返ったことのない「ただの素人」の方にこそ、ぜひ過去検証を行ってほしい！　そうすれば、**絶対、トレード成績が上がるから**、というのが本書で僕がイチバン主張したいことかもしれません。

　もし、まだ過去検証なんてしたことない、という人はぜひ、これを機会に目覚めてほしいと思います。それが、運と勘だけが頼りのFXド素人を卒業する一番の近道だと思います。

『シンク・トレーダー』、『フォレックステスター』……この名前を聞いて、「何それ？　聞いたことない」というトレーダーは、絶対本書を買ってください。

　いや、買わなくてもいいです。立ち読みでもいいから、第2章を開いてください。もう、ホントホント、本当に本当にお願いします<(_ _)>

大学生のとき、裁量で「5万円×4回の失敗」だけで1200万円稼いだ

初心者の僕が1200万円を稼ぐまでの成長物語

第2章 トレード成績を飛躍的に上げる ヒロ式「過去検証」「期待値」の術

FX初心者が通る「関門」全部お教えします

第3章 2年8か月で1152万円を稼いだ "どシンプル" システム

システムトレードの発想力とClipperMの実力

第4章 どシンプルな「Clipper M」を手動で回して、さらに稼ぐ

Clipper Mでざくざく稼ぐヒロ式裁量トレード術

本編に進む前にシストレの概要をお教えします

最高年収2446万9291円を叩き出した裁量時代

専業トレーダーになったこの6年を振り返ると、僕自身は格段に進化し、成長しました。

長い人生の中でも大切すぎる「20代」を、実りある、充実した時間にすることができたと満足しています。

会社員を辞めた当初は、「もっと稼ぎたい」「早く資産1億円、達成したい」と焦ってばかりでした。

おでこに冷や汗かきながら、パソコンのモニタと1日中睨めっこして、為替レートの値動きに一喜一憂する毎日を過ごしていました。

その甲斐もあって、**2016年には毎月平均203万円近い利益、年間2446万9291円の収益を叩き出す**ことができました。

でも、FXの世界は、いくら儲けてもキリがありません。

1日中、相場に張りついて、「ああでもない、こうでもない」と細かい値動きを追いかける裁量トレーダーは特にそうです。

日々、相場と格闘するだけでなく、損したら「悔しい」、儲かっても、もっと儲けられたはずだから「悔しい」と感じてしまう自分自身のメンタルとも戦い続けなきゃいけません。

「月100万以上、稼げるからって、これって自分が求めていた生活なのかな？」

四六時中、モニタと睨めっこし続ける日々を過ごしていた僕はふと感じました。

「FXは好きだけど、毎日、値動きに縛りつけられ、身も心も疲

れ果ててしまうなんて、これじゃあ、『FX奴隷』じゃないか…。社畜になるのがイヤでサラリーマンを辞めたはずなのに、このままじゃ、FXで過労死してしまう…」

FXの収益自体は生活費や税金の支払いを差し引いても、2015年〜2016年で3000万円近く貯まりました。

でも、違和感が残る。

これは自分が求めていた道じゃない。

2016年には子供も生まれ、「パパ」になりました。

せっかく授かったわが子をきちんと自分でも世話できる時間なんて、人生の中でそう、何度もあるわけではありません。

子育ては僕にとって、FX以上に大切なもの。その貴重な時間をFXのために失いたくありませんでした。

そこで、僕は一大決心しました。

膨大な時間とメンタルをロスする裁量トレーダーは止めて、自動売買のシステムトレーダーになろうと決めたんです。

「FX奴隷」卒業のための「システムトレード」

「サボる」「ほったらかし」で稼げるほど甘いものではありませんが、少なくとも、パソコンの前に1日中張りついて、値動きに一喜一憂したり、トレード中毒になって体力と精神を消耗させてしまうことはありません。

システムトレーダーなら「FXの奴隷」になることはない。

FXの稼ぎと同じぐらい重要な時間と自由を手に入れることができるはず。

そこから僕の猛勉強が始まりました。

分厚いプログラミングの本を読んだり、疑問が生じたら、ネットに落ちているシステムトレーダーさんたちの情報に当たったり、

「ここは勝負どころ」と死ぬほど努力しました。

　FXでシステムトレードといえば、図3のとおり、**FXトレーダーの必須アイテムといえる高機能チャートツール「メタトレーダー（MT）4」上で自動売買を行ってくれる「エキスパートアドバイザー（EA）」**のことを指します。

　ネットから無料＆有料でダウンロードできるEAをMT4にインストールすれば、「はい、一丁上がり」と簡単に自動売買できるような、安直でお手軽なイメージがあるかもしれません。

　でも、自分自身が一から考えたアイデアやプランを1つ1つプログラムに落とし込んで、コンピュータが勝手に自動売買してくれるまで漕ぎつけるのは、並大抵のことではありません。

　膨大な学習量や時間や労力が必要です。

　コンピュータのプログラミング自体を勉強するのはもちろん、

図3　MT4とエキスパートアドバイザー（EA）

MT4の自動売買ソフトEAを回してシステムトレード！

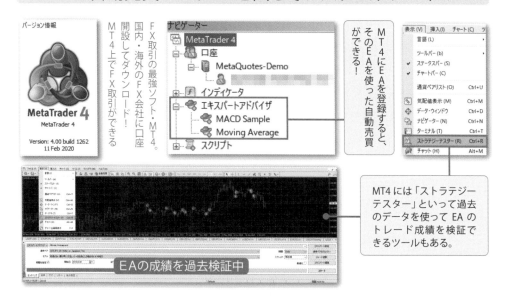

- トレードロジックを考えて固める
- コードを使って、ロジックを書き起こす
- ロジックを順序立った手続きにする（「アルゴリズム」といいます）
- できたトレードシステムを過去のデータ（ヒストリカル・データ）で検証して本当に優位性があるか、確かめる
- 過去検証での成績が上がるように、パラメータを変えたり、フィルタを新たに付け加えてシステムを改善する
- バグや不具合のチェックをする
- いざ実戦で試して、さらに改善点がないか探す

　などなど……。順序立てて数多くのステップを踏みながら納得のできる成績優秀な自分独自のシステムを作るためには、膨大な時間と作業が必要です。

　そんな努力と猛勉強も、ひとえに人生の自由と時間を手に入れるため。

　昨日よりも今日は1歩前に進んでいたい。今日より明日は1つでも多くのことができるようになりたい。

　30代になったけど、まだまだ20代の頃以上に成長して、充実した人生を送りたい。そんな成長願望こそ、お金儲け以上に僕が求めているものでした。

　2017年11月、約半年間の準備期間を経て、僕は裁量トレーダーからシステムトレーダーに「変身」しました。

　動かしているシステムは、1つじゃありません。複数のロジックを考えて、**3つか4つの独立した売買システムを同時に別々に進行**させています。

　いわば、「ポートフォリオ」のように複数のシステムに資金を

分散投資するのが僕のトレードスタイルです。

　本書では、実際に今も月100万円、200万円の利益を叩き出している僕のメインシステムの一部を無料で公開します。

　初心者にもマネしやすく、自分なりに改良すれば裁量トレードでさらに利益を伸ばすことも可能なシステム、再現性・カスタマイズ性に優れた、どこの誰に紹介しても恥ずかしくない、自慢のトレード手法です。

　僕はこのシステムでの1回の取引量を14Lot（140万通貨）前後に設定して、ドル円を対象に回しています（本書では14Lotジャストで計算）。調子がいいときは、1日の利益が数百万円になる日もあります。

2日間で201万1800円の利益。シストレ生中継

　まずは、僕のシステムトレードの実力をご覧に入れましょう。

　図4は、中国で蔓延していたコロナがイタリアなど欧州にも広がり、「ドルの現金が必要だ」ということでドル高が進んだ2月19、20日のドル円1時間足チャートです。

　僕が回しているシステムが「エントリー→決済」を2日連続で繰り返したのは、図に示したポイントになります。

　2月19日は110.125でロングエントリーして、8時間後に111.17で利食い。利益146万3000円の大漁になりました。

　2月20日は111.694でエントリーして、やっぱり8時間後に112.086で決済。利益は54万8800円となり、2日間で200万円以上の儲けになりました。

　図を見てもわかるように、期間中のドル円は「ものの見事」といっていいようなきれいな上昇が続きました。

　誰でも買いで勝負すれば儲かった場面といえるでしょう。

　途中で決済せず、ずっとロング玉をホールドしていたら、もっと儲かったのに…と、ふと悔しくなることもあります。

　でも、このシステムで毎年数百万円の利益を叩き出している以上、ルールをたやすく変更すべきではありません。

　エントリーとエグジットのポイントを見ればわかるように、最初の取引では、新たに始まった**上昇トレンド加速の場面から**しっ**かり利益を叩き出すことに成功**しています。

　決済後、Aのゾーンの急騰は取り逃がしてしまいましたが、次の取引では上昇のほぼすべてを利益に変えることができました。

　その後、ドル円は横ばい推移（Bのゾーン）に転じていて、こちらは理想的な決済です。

　あとで成績やロジックをすべてお教えしますが、このシステムはトレンド相場の中でも、**一番トレンドの勢いが強い時間帯を的**

図４　シストレ生中継・たった２日で２００万円以上の利益！

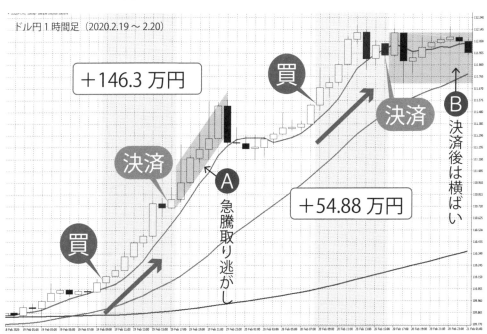

確にとらえることを目的にしたもの。

　ヒロ式「どシンプルFX」の核心ともいえるシステムなのです。

裁量より労力をかけず稼ぐならシステムトレード

　じゃあ、システムトレードではなく裁量トレードだったら、図4のような絵に描いた上昇局面で、もっと利益を伸ばせたでしょうか?

　FXのチャートというのは不思議なもので、あとから振り返ると「ここで買って、ここで売れば、めちゃくちゃ儲かったはずなのに」と誰でも簡単に指摘することができます。

　しかし、まだチャートができていない、一寸先は闇の「未来」を前にすると、人は「上がるか下がるか」の確信が持てないので、ビビりながら、恐る恐る取引するしかありません。

　もし裁量トレードで、僕がシステムで投じている140万通貨という巨額な資金量の取引をしていたら、どうでしょう?

　チャートが「ものすごくきれいで、超おいしそうな上昇トレンド」を示している最中であればあるほど「下がって利益が減るのは怖い…」という感情が頭をもたげてくるはず。

　利益確定の誘惑に負けてしまっても無理はありません。

　いや、負けてしまうほうが普通だと思います。

　機械は決められたことを淡々とこなすだけで、まったくビビったりしませんが、裁量トレードをしている最中は、ほんのちょっとした値動きに対しても、きわめて過敏になってしまうもの。

　きっと、上昇途中に長い上ヒゲが出たところや陰線で終わったところ、横ばいが長時間続いて、もうこれ以上上がりそうにないと思えるような場面では、いったん利益確定していたと思います。

　そんなふうに何度も利益確定しながら、「やっぱり、まだ上が

りそうだ」とエントリーし直して……を繰り返してトレードし続けたのでは、体力も神経もヘトヘトになってしまうでしょう。

　その苦労を考えると、**先ほど僕が紹介したシステムトレードの結果は、取引自体にはまったく労力をかけず、上昇トレンドの中のかなり「おいしいとこ獲り」に成功**しています。

　それだけで、僕は、もう、十分です。

　取引自体はシステムに全部お任せにしているぶん、趣味や家族と過ごすための自由な時間ができることのほうが、よっぽど大切です。

　さらにいうと、**死ぬほど頑張って何度も裁量取引を繰り返してみても、結果、大損してしまうリスクもあるのがFXの非情な世界**。無限にありそうに見える儲けのチャンスに固執し過ぎると、逆に足をすくわれるのがオチです。

　それでは健全で持続性のあるFXトレードとはいえません。

裁量トレーダーにも「システム的発想」は絶対必要

　かといって、僕が裁量トレードのすべてを否定しているかというと、そんなことはありません。

　2017年からはシステムトレード主体で取引していますが、FXを始めた当初の僕は右も左もよくわからない裁量トレーダーでした。

　今もYouTube「メタトレ研究所」では「100万円をどこまで増やせるか？」と題して裁量トレードの実演もしています。

　個人的にも「チャンス」だと思った局面では、システムトレードとは別に裁量でも取引を行います。

　裁量もシステムも、結局、さまざまなテクニカル指標を使って為替相場の未来を予測する、という点ではまったく同じ。

逆にいうと、100％どんな場面でも絶対に勝てるEAなんてありませんし、勝率100％で勝ち続けることのできる天才裁量トレーダーもいない、ということです。

システムトレーダーの僕が試行錯誤を重ねて培ったテクニカル指標の使い方、見方、考え方は必ずや裁量トレーダーの方にも役立つはず。

それが本書を執筆した一番の理由です。

システムトレーダー的な視点を取り入れて裁量取引を行えば、より精度が高く、利益の出せるFXトレードを行えます。

逆に、裁量トレーダーにしか使えないような「プラスα」のテクニカル分析を加えれば、相場の変化に合わせて、より臨機応変に、より柔軟に、本書で公開する僕のシステムをさらにチューナップできるはずです。

お金を賭けてる以上、「ボーっ」としてられない

「ボーっと生きてんじゃねーよ」

NHKのチコちゃんはそう叱ります。

「ボーっとFXの取引してんじゃねーよ」と僕は僕自身にいつも言い聞かせています。

FX取引というと「必勝法」になにかと注目が集まります。

しかし、世の中に「これが俺さまの必勝法」といって公開された手法は、本当に**何度も過去検証したり、実戦で運用したときの勝敗データをとったうえでの「必勝法」**なのでしょうか？

FXはレバレッジをかけることで、尋常ではないぐらい、ハイリスクハイリターンを狙える金融商品です。

リスクをリスクと感じないトレーダーがイチかバチか、ドル円

を1000万通貨（約11億円）取引して、1円抜きに成功すれば、あっという間に1000万円稼げます。

　その取引を「奇跡的に」10回続けて成功させれば資産1億円を達成し、晴れて「億り人」の仲間入りとなります。

　世の中にたくさん存在するといわれるFXの億り人が、どんな手法で1億円を達成できたか知りません。

　でも、その必勝法をマネしたら誰もがみんな、1億円を手に入れることができる、なんてことはまず、ないでしょう。

　無謀とも思える取引はその人にとっては「必勝法」かもしれませんが、正気の沙汰ではない度胸や根性がない人にとっては、単なる「必敗法」かもしれません。

　どんな投資もそうですが、超高額な資金を思いっきりハイリスクな取引に投入すれば、何％かの確率で（とても低いと思いますが…）、億単位のお金を秒速で稼ぐことも可能でしょう。

　でも、その人が語る「成功体験」って、結局、「運がよかっただけの自慢話」じゃないでしょうか。稼ぎやすい地合い（暴落や急騰）に乗って、イチかバチかのトレードに大金を投じて億単位のお金を稼いでも、それは度胸があって強運の持ち主だったという証明にしかなりません。

　運や才能や「99％は勝てる必勝法」には、必ず賞味期限があるものです。

FXの成績はすべて「数値化」できる

　FXで勝ち続けるには、ドラマチックなストーリーやセンセーショナルでミラクルな展開は実は必要ありません。

　システムトレードをしていて思うのは、FXトレードは「すべ

てがシンプル」だということ。「どシンプル」と強調してもいい
でしょう。なぜなら、結局、すべてのトレードは「数字」で測れ
るものだからです。

あなたが素晴らしいトレーダーか、そうでないか？

あなたの使っているFXの手法が本当に「必勝法」といえるほ
ど優れているのか、そうでないか？

あなたが会社を辞めても、その先、10年、20年、30年、ずっ
と成功し続けられる専業トレーダーとしての資質を持っているか、
持っていないか？

それらはすべて「数字」に落とし込んで測定したり、判断した
りすることができます。

野球やサッカーの試合と同じように、FXトレードでは勝った
り負けたりを当たり前のように繰り返しますが、トータルの成績
は結局、次の掛け算で決まります。

> ● 「取引したうち、何割勝って、何割負けるか」×「勝ったとき
> の平均利益はいくらで、負けたときの平均損失はいくらか」

これをもっと短い単語で示すと、

> ● 「勝率」×「リスクリワード（平均利益と平均損失の比率）」

になります。そして、両者をひっくるめたもの、それが、

> ● 「期待値」

です。

　期待値とは、期間中に獲得した「純利益」、すなわち総利益から総損失を引いたものをトレード回数で割ったものです。

　つまり、

●期待値＝「獲得純利益÷トレード回数」

となります。

・ぶっちゃけ、そのFXのトレード手法で取引すると1回あたり、いくら儲かんの？

というのが期待値です。

　今、FXは勝率とリスクリワードで決まるといいましたが、期待値は両者を掛け合わせたもの。「平均利益の金額×勝率－平均損失の金額×敗率」という別の計算式でも計算できます。

　たとえば、勝率が6割で、勝ったときの平均利益100万円に対して、負けたときの平均損失が80万円（負ける確率＝敗率は4割）というリスクリワードだったとしましょう。

　その場合、期待値は「（0.6×100万円）－（0.4×80万円）＝28万円」になります。

　まがりなりにも「FXで勝てている」というステイタスを勝ち取るためには、当然ですが、期待値がプラスでないと話になりません。

　初回の取引で1億円勝てても、そのあと10回取引して1000万円ずつ負けたら、期待値はゼロです。

　つまり、たった1回のセンセーショナルなベストプレイだけにフォーカスして、自分の実力を過大評価したり、「こんなに稼げたから、FXの専業トレーダーとして一生やっていけそうだ」と

勘違いして会社を辞めるのは、すごく危険なことだということ。

　損失やトレード回数も含めた平均値を出して、トータルで考えないと、自分のFXの実力なんて、わからないのです。

過去検証とトレード成績の数値化こそFXの命

　僕は2013年末に会社を辞めて専業トレーダーになって以降、必ず、**自分がこれから実戦で使う手法を過去検証ソフトでバックテストして、過去のデータで戦った場合、どれぐらいの成績を残せたのかを検証しています。**

　僕自身は「大切なお金をかけてトレードする以上、事前にそのトレード手法が本当に使えるのか使えないのかを検証するのはごくごく、当たり前」というスタンスで、裁量トレードのときも一生懸命、過去検証に励んできました。

　自分の売買手法を過去のチャートを使って手軽に過去検証して、勝率やリスクリワード、期待値などを計算してくれるソフトは、無料＆有料のものも含め、たくさんネット上に出回っています。

　多くの専業トレーダーの方はすでに過去検証ソフトを使っているものと思っています。

　でも、時々、初心者の方や自称・専業トレーダーの方とお会いしてお話しすると「過去検証ソフトって何？　そんなもん、必要なの？　面倒くさいな」と言われる人もかなりいて、少々びっくりしています。

　図5のとおり、もし仮にFXに「必勝法」があるとするなら、やはり、資金量が多くても少なくても、誰が挑戦しても勝てるだけの勝率やリスクリワード、期待値、さらには後で説明する「プロフィットファクター（ＰＦ）」や「最大ドローダウン」など、きちんとその手法の成績を数値化したデータがないと「意味がない

じゃないの？」と僕自身は思っています。

「1億円荒稼ぎできたから、これは必勝法」ではなく、「**徹底的に過去検証したうえで、実運用でも数年かそれ以上、使ってみた結果、勝率は何%、リスクリワードは何対何、期待値は何万円という実績も出たので勝てる手法**」こそ、**FX**トレーダーに必要なものです。

　金額にダマされるのではなく、確率や期待値というコンセプトに目覚める。

　じゃないと、自分のFXの利益だけで、家族の生活費や家賃、将来かかる子供の教育費や住宅購入費用、老後資産をまかなっていけるだけの専業トレーダーにはなれないと僕は思います。

　本書では、まだ過去検証に目覚めていないトレーダーさんたちに向けて、過去検証ソフトを使ったFX手法の分析方法についてもみっちり説明しますね。

図5　必勝法には勝率、リスクリワードなど実績データが必要

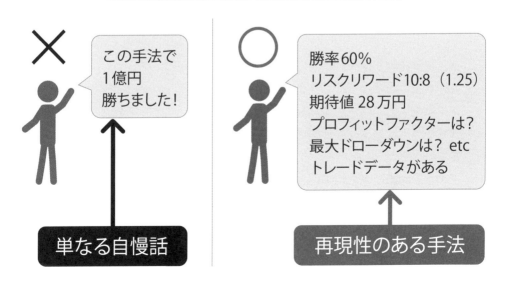

FXトレーダーって、なんて素晴らしい「職業」

　世の中では「リモートワーク」や「ソーシャル・ディスタンス」という言葉が大流行語になっています。

　でも、よく考えてみると、専業のFXトレーダーとして、僕はすでに6年前から、家の中にこもりきりのリモートワークで、一生懸命、ひたすら努力してFXトレードに励んできました。ある意味、ウィズコロナ、アフターコロナで始まった新たな生活様式をすでに実現しています。

　それもこれも、FXのおかげ。**FXという市場がオープンしている限り、お金を稼ぐことができ、お金に困らない生活を送ることができるのが、FXトレーダーの特権**です。

　当然、稼げなくなったら何の保障もなく、ひょっとしたら路頭に迷うリスクがあるのは十分、承知のうえです。そのリスクを避けるためには、現状に満足せず、ひたすら自分に投資して（つまり、学習や経験を積んで）、自分の持てる能力とリソースを成長させ、進化させ続けないといけません。

　「自分は本当にレベルアップできているか？　成長や進歩が止まって、現状に満足しているだけになってないか？」といつも自問自答し、その不安を打ち消すためにひたすら努力しています。

- 仕事＝労働ではない
- 好きなことは仕事にできる
- 就職が人生のゴールではない
- 家から出なくてもお金は稼げる
- やるべきことをやっていても文句はいわれるけど、気にしない
- お金の勉強は人生の早いうちから、しておくべき
- 親世代の人の価値観を鵜呑みにするのは危険

というと、かなり「過激」な主張に思えるかもしれません。

でも僕は「FXトレーダーという、途轍もなく自由で新しく、素晴らしい生き方」を満喫しています。

そして、それを可能にしているのが「システムトレード」、もしくは「システムトレード的な発想」なのです！

本書を読めば、必ずトレードスキルは進化します

本書の**第1章**では簡単に僕の人生とFXに目覚めたきっかけ、そして裁量トレーダーとして5万円を4回溶かしただけで勝てるようになった理由、**システムトレードに移行するまでを説明**します。

第2章では、たとえ**システムの知識がまったくない初心者の方や裁量トレーダーでも、飛躍的にトレード成績が伸ばせる「システム的な思考法」について解説**します。

大半のFX本には、「欲や感情を捨てる」「損切りができるようになる」ことが、FXで初心者が勝つための絶対条件のように書かれていますが、それは嘘です。

はっきりいって、「メンタルを鍛えて損切りができる」ようになってもFXで勝ち続けることはできません。

損切りなど逆にしなくて済むなら、しないほうがマシですし、人のメンタルというのは鍛えようがないので、鍛えるのではなく、関わらない＆排除するほうがよっぽど儲かります。

第3章では、僕が**ここ3年間で2000万円以上稼いだシステムの一部を大公開**します。

そのシステムの実績やロジックの詳細を惜しげもなくお教えします。初心者の方やシステムの知識がない裁量トレーダーの方でもすぐに利用して、さまざまな応用に使える「どシンプル」なシ

ステムかつ好成績のトレード手法ですので、ぜひ真似してみてください。

そして**第4章**では、紹介するシステムを**裁量トレードの技法を使って、よりチューナップする方法**を解説します。

僕が考えた、テクニカルの秘技もご紹介するので楽しみにしてください。

SNSやコミュニティでFX技術のヒントを得る

ちなみに、本書では、システムトレードを構築するために必要な難しいコンピュータのプログラムの話は一切しないので、ご安心ください。

最近は僕も、TwitterやYouTubeにトレード結果やシステムトレード構築法などを配信することで、相変わらずリモートワークながら、少しは社会とつながりを持つようになりました。

その交流の中で、貴重なトレーダー仲間たちとも出会うことができました。

そんなこともあり、**face book**の非公開サイトで「**Financial Investor Village**」（略して**【FIV】**フィヴ）というリアルなイベント開催もあるコミュニティを作って活動を始めています。

本書を読むことで、システムトレードに興味を持った方はぜひ、僕が主宰している投資コミュニティ「FIV」にご参加ください。

オリジナルのEAをプログラミングするためのノウハウをこってり、お教えします。「あっ、こいつがグラサン、チョビ髭のニヒルな出で立ちで毎日のようにYouTubeを更新しているヒロか。印象がかなり違うな」なんて、ナマの会話やFXの細かい手法話でぜひ盛り上がりましょう。

第 1 章

大学生のとき、裁量で
「5万円×4回の失敗」だけで
1200万円稼いだ

1

初心者の僕が1200万円を稼ぐまでの成長物語

18歳で金融恐慌を経験。僕がFXに目覚めた理由

　日経平均株価が史上最高値をつけた翌年の1990年に、僕は神奈川県で生まれました。

　バブルも、バブル崩壊の記憶もまったくありません。

　でも、「卒業したら、何をしよう。どんな未来が僕を待っているんだ？」と希望に燃えた大学入学前年の2008年に、「金融恐慌」と騒がれたリーマンショックが起こったことは今でも覚えています。

　新型コロナウイルスが世界中に蔓延している2020年、僕はついに30歳になってしまいました。

　今から振り返ってみても、僕ら世代は、節目、節目に、暗いニュースがあって、

「手堅く、ラクに生きられたらいいな」

というのが人生最大のモチベーションになってきたように思います。

「絶対に世の中で成功してやる。会社で出世してやる」

「何が何でも、大金持ちになって、贅沢な生活をしているところを他人に見せびらかしたい」

　といった野心や欲望は、FXだけで大金を稼げるようになった今でも、あまり感じません。

　むろん、FXトレーダーを「職業」にしている以上、自分の技術や手法をさらに磨いて、もっと稼げるようになりたい、という想いはとても強いです。

　自分の進化や成長がそれこそ「どシンプル」に数字 = FX の儲けに反映される厳しい世界ですから、**利益を伸ばすこと自体にはものすごいこだわりがあります。**

　でも、「世の中が成長していく」とか「経済がよくなる」なんてありえない、というのがなんとなく皮膚感覚としてあって、**出世願望、上昇志向、成金趣味は皆無**といっていいかもしれません。

　神奈川の郊外から、横浜市の中心地にある高校に通うようになっても、「ここで 1 番の成績をとっていい大学に入って、一流企業に就職してやる」という思いより、「今いる、このクラスの中でみんなに認められたい、『いいやつ、できるやつ、おもしろいやつ』と思われたい」という承認欲求のほうが強かったです。

　そのクラスには一人変わった同級生がいて、教室の窓際の席でいつも昼休みにノートパソコンを開いて、株価の値動きを示した「チャート」なるものを見ていました。

　高校 1 年生の僕はパソコンさえいじったことがなかったのに、その同級生は自由自在にノートパソコンを操って、これ見よがしに株の取引までしている。

　「株なんて、おっさんとかおばさんがやるもん。こいつ、まだ子供なのに何、やってるんだ？」というのが僕の第一印象でした。

　結局、そいつは相当変わった奴で、高校時代を通してほとんど付き合いはなかったので、彼の存在が僕の人生に大きな影響を与えることはありませんでした。

　ただ、僕の親が株式投資をしていたこともあり、父親の書斎に行くと「今期の配当は 1 株いくらです」みたいな紙が普通に置いてありました。

　なので、「**自分も大人になったら、株やるんだろうな**」とは漠然と思っていました。

バイトで貯めたお金「5万円×4回」を溶かす

　そんな僕が株以外にFXという投資ツールがあるのを知ったのも高校時代でした。

　テレ東で今も放送している『ガイアの夜明け』の中で、FXでハイレバレッジをかけてポンド円かなんかで大損してしまった主婦の話が放映されていました。

　夫のお金を勝手に投入してドカンと大勝負したものの、元手以上の巨額の損失をこうむってしまい、途方に暮れていました。「なんで、こんなおばさんがそんな大金を損できるんだ？」と素朴な疑問を持ったことを覚えています。

　そのときはまだ、自己資金に「てこの原理」でマックス250倍（当時）のレバレッジをかけて取引できるFXの仕組みをよく知りませんでした。

　そんな僕がFXを始めたのは大学に入ってから。

　学業とバイトの両立にもすっかり慣れて、ちょっとした小金が貯まるようになりました。

　世界経済をどん底に陥れたリーマンショックは終わったものの、2011年の東日本大震災の影響もあって、ドル円が1ドル80円台前後で行ったり来たりしていた頃です。

　バイトで汗水垂らして貯めたお金5万円を初めて入金したのは、今は亡き「サイバーエージェントFX」。

　親が株をやっていたこともあって、「自分も大学生になったら投資するんだな」と思っていたので、ハードルはそんなに高くありませんでした。

　レバレッジ数百倍の取引で資金を秒殺で溶かす投資家が激増したこともあり、僕がFXを始めた頃のレバレッジは50倍までに制限され、2011年8月以降は25倍以下まで引き下げられました。

とはいえ、大学生のド素人が、ハイレバレッジで自己資金以上の取引ができるFXをいきなり始めて味わうことといえば、決まっています。

「投入資金を3日で飛ばして全部失うこと」

これ以外ありません。

確か、**最初に投入した5万円はほんとに3日か4日でなくなった**と思います。

5万円といえば、レジレッジ25倍だとドル円や豪ドル円といった2ケタ台の通貨ペア（当時）でやっと1万通貨の取引ができるかできないか、という最低の元手になります。

1万通貨の売買の場合、5円分、予想と反対方向に行けば全財産がパアになります。損失が膨らんで、目減りした元手に対する投資金額が25倍以上になると翌朝には強制決済されます。

「秒殺」とはいわないまでも「分殺」で投入資金が蒸発。

レバレッジという仕組みがわかっていないFX初心者が「絶対にやってしまう失敗」を僕も何度か繰り返すことになりました。

しかし、大学生というお金のない身分が幸いしたのか、元手はたったの5万円。

5万円を4回投入して、結局、そのほとんどを失いましたが、**溶かした資金がトータルして、たったの20万円だったのは今から思うと、「かわいいもんだったんだな」**と思います。

他の経験者の話を聞くと、100万円単位の損失という「きっつい洗礼」を受けた人や、これが最後の貯金というお金を1000万円単位で失った人もいるほど。

FXはいきなり何も考えず、何も勉強せずに始めるとドツボにはまる死屍累々の世界です。

そう考えると、5万円×4回を溶かした程度で、「ド素人」を卒業できたのは幸運でした。

テクニカル指標を丸暗記しても勝てない

FXを始めた当時、僕の取引の教科書になっていたのは『チャートの鬼』という本でした。

今も『チャートの鬼・改』（エイチスクエア）という改訂版が発売されています。

FXや株式投資で使うテクニカル指標がこれでもかというほどたくさん紹介されており、チャート分析本のパイオニアといわれていたので購入して、読みました。

ただ、本書はテクニカル指標やチャート分析法を網羅しているものの、単に「羅列」して並べただけの面もあり、「じゃあ、どのテクニカルを使えばいいの？」、「このテクニカルとあのテクニカルを組み合わせるとどうなるの？」といった肝心な点が書かれていませんでした。

というか、**テクニカル分析の本って、初心者にはかなり有毒な部分があります。**

たとえば、テクニカルの初歩の初歩といったら「中期と長期の移動平均線（MA）がゴールデンクロスしたら買い」というのが典型シグナルですが、それを100％信じて取引すると、100％とはいわないまでもかなりの確率で大損します。

図6のとおり、ゴールデンクロスが起こったときにはすでに為替レートがかなり上昇していたり、横ばい相場が続いているときはゴールデンクロス後は下がるだけ、ということも多いからです。

たとえば、中期の20MAと長期の60MAのゴールデンクロスといっても、

●そのとき、為替レートが20MAからどれだけ、かい離して上がっているか（上がり過ぎているときは下落する可能性も高い）

●ゴールデンクロスが発生したときの60MAの傾きはどうか？

（60MAが右肩下がりのときは失敗に終わるリスクがある。また横ばいだった場合、クロス後に20MAと60MAがもつれあって、下がりはしないものの、上昇の勢いがなくなるケースもある）

などなど、本当に状況は千差万別です。

図6のように横ばい相場のときは半分ぐらいはハズれてしまうどころか、図のAのように、ゴールデンクロスが下落の起点、デッドクロスで上昇転換というケースも多発します。

過去の値動きなども参考に、**同じゴールデンクロスでもどんなパターンなら成功するかを判断する「経験値」がないと、対応が難しい**。単純な「ゴールデンクロスで買い」という竹槍のように貧弱なシグナルだけでは「絶対に」といっていいほど勝てないものです。

図6　MAのゴールデン／デッドクロスが当たる例／当たらない例

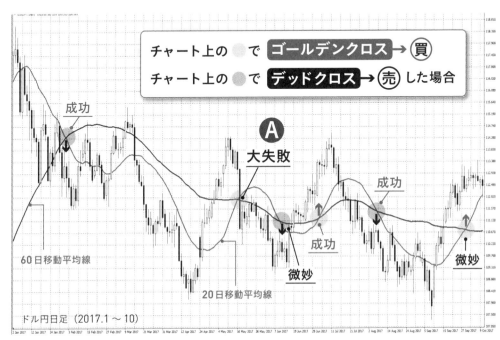

ドル円日足（2017.1〜10）

つまり、**テクニカル指標の丸暗記だけで勝てるほど、FXは甘くない**、ということ。テクニカル指標を扱う本の中には、「ゴールデンクロスで買い、デッドクロスで売り」という「答え」しか書かれていないものも多く、その答えがハズれたときの対処法が初心者にはわからないのです。

実戦で経験を積むと、「ゴールデンクロスで買い」という場面もあれば、「ゴールデンクロスで売り」になってしまう場面もあることが、なんとなくわかってきます。

そのとき「『ゴールデンクロスで買い』といわれているけど、それがハズれたことが確定すると、逆に大きく反対方向に動く可能性もあるんだな」とか「ゴールデンクロスがハズれたあと、上でも下でもない、もみ合い相場がしばらく続くこともあるな」とか、**さまざまなシナリオを用意して、どのパターンにでも対応できるようになって初めて、「ゴールデンクロスという売買シグナルを使いこなせるようになった」といえる**のだと思います。

「ストキャスティクス」になぜかピンときた

『チャートの鬼』は、初心者の僕には処理しきれないほど、たくさんのテクニカル指標が掲載されていました。

おなじみの移動平均線やトレンドライン分析、ボリンジャーバンドから「オシレーター（振り子）系」と呼ばれるRSI、ストキャスティクス、DMI、RCIとか……。

たかが、為替レートが上がるか下がるかを予測するだけなのに、それこそ、小難しい理屈をつけたテクニカル指標がびっくりするほどたくさんある。

驚きもありましたが、「テクニカル指標を究めれば、いつかはFXで稼げるようになるんだ」という安心感もありました。

　今でも時々、YouTubeのチャンネルに視聴者さんからテクニカル指標に関する質問がくると、夜も寝ずに、「このテクニカル指標の実力はどうだっけ？」とコンピュータ上で過去検証することに没頭してしまいます。

　よく学校のテストなんかで「この方程式はテストに出るよ」と先生にいわれると、その方程式を丸暗記するだけでまったく疑わずに使って、高得点をとる優等生っていましたよね。

　でも、僕にはそれができない。先生はそういっているけど、「この方程式ってどんな仕組みでできていて、どういう条件になったら使えるのか」、**とっても疑り深く、自分が納得するまで調べないと気が済まない**ところがあります。

　そういうガリ勉タイプの僕の性格が、FXで使う小難しいテクニカル指標と妙に相性がよかったのかもしれません。

　なけなしの5万円を3日で飛ばした僕はさらにバイト代5万円を追加投入して、『チャートの鬼』の中で「何か、使えるテクニカル指標はないか？」、必死に探していきました。

　そのとき、出合って「おっ、これはおもしろい」と思ったのが「ストキャスティクス」です。

　ストキャスティクス？　多くの方はかなり意外に思うかもしれません。だいたい、テクニカルの本をかじって、初心者が「じゃあ、使ってみよう」となるのは移動平均線とかトレンドラインとかオーソドックスなトレンドフォロー向けのテクニカルです。

　どうして、よりによって、まだFXを始めたばかりの大学生が小難しいイメージのあるストキャスティクスに食いついたのか？

　よくわかりませんが、きっと、「80％以上なら買われ過ぎで下がる」「20％以下なら売られ過ぎで上がる」という断定口調のズバッと解決式の売買シグナルに、大学生の僕が「なるほど」と思ってしまうような妙な説得力があったのでしょう。

ストキャスティクスの使い方と長所・弱点

　ストキャスティクスというのは、相場の過熱感を示すオシレーター（振り子）系指標の1つで、単純にいうと、現在の為替レートがある期間における為替レートの最高値と最安値の値幅の中のどこにあるかを示したものです。具体的には、最安値から何％の位置にあるかが数値で示されます。

　最も単純な「％K」は、

　％K＝「（現在値－期間nの最安値）÷（期間nの最高値－最安値）」×100（％） で計算します。

　この％Kを使ったものは「ファストストキャスティクス」といいますが、値動きが非常に激しくなります。

　そこで、通常はこの**％Kの3日間の移動平均値である「％D」**、さらに**その3日間の移動平均値である「％SD」**（「SLOW％D」とも呼ぶ）を計算。

　％Dと％SDの上下動やクロスで為替レートの「買われ過ぎ・売られ過ぎ」を判断するのが普通です。

　こちらは、よりゆるやかな為替レートの上下動をとらえたものなので、「**スローストキャスティクス**」と呼びます。

　説明が長くなりましたが、要するにストキャスティクスを使った売買シグナルで最もポピュラーなのは、図7に示したように、

- ストキャスティクスが80％以上だと期間中の最高値圏にあるので「買われ過ぎ」と判断。**％Dと％SDが80％ライン以上でデッドクロスして下がり始めたら売り**。
- 20％以下だと最安値圏にあるので「売られ過ぎ」と判断。**％Dと％SDが20％以下でゴールデンクロスして上がり始めたら買い**。

という、とてもシンプルで「数字」を見ただけですぐ判断できるものになります。

図7の値動きを見ると、為替レートが全体として横ばいで推移しているときは、上のシグナルが当たりやすくなっています。

そうです。横ばい相場で結構、威力を発揮するのが、ストキャスをはじめとしたオシレーター系指標の特徴なのです。

ただし、その弱点は強いトレンドが出ている相場に関しては、さっきの売買シグナルがまったく通用しなくなること。

たとえば、図7のAのゾーンのように、**一方通行の上昇が続いている場面では、ストキャスが「買われ過ぎ圏の80％以上に張りついたまま」になり、時々、80％を割り込みますが、それは下落というより、一時的な上昇の休止**に過ぎません。

図7　ストキャスティクスの実例・長所と短所

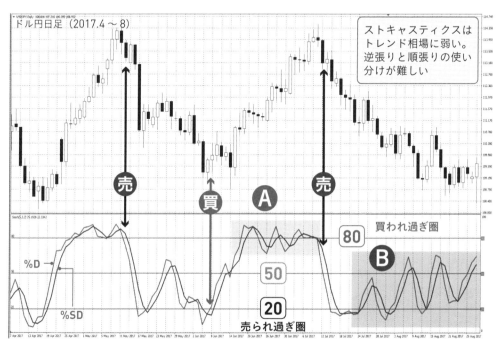

強い上昇トレンドが出ている相場で、「80％を割り込んだら売り」という公式を使って売りで勝負したら、木っ端みじんに負けてしまいます。

反対に下降トレンドのときは、図のBのゾーンのように、売られ過ぎ圏の20％以下とニュートラルな50％ラインの間を行ったり来たりすることも多いです。

でも、下降トレンドが鮮明な場合は「売られ過ぎ圏の20％を越えて上昇したら買い」ではありません。「50％まで上昇したあと下落に転じたところが下降トレンドにおける戻り売り」と判断しなければいけません。

つまり、**今の為替レートがどんなトレンド状況にあるのかをしっかり把握しないと、使いモノにならない**、というわけです。

ストキャスティクスを好きになった理由

ド素人の大学生がなぜに、ストキャスティクスを最初のテクニカル指標に選んだのか？

その理由は「**ストキャスが80％以上でデッドクロスしたら売り、20％以下でゴールデンクロスしたら買い**」というように「**数値**」で売買タイミングを教えてくれたからです。

普通、テクニカル分析を始めたばかりの人は、移動平均線やライン分析、ボリンジャーバンドなどを使いたがるものです。

たとえば、移動平均線の「グランビルの法則」なんかは、トレンドフォローの取引に向いた売買シグナルの代表選手です。

トレンドフォローでは上昇トレンドのときは「押し目買い」、下降トレンドのときは「戻り売り」を狙うのが基本ですが、8つあるグランビルの法則のうち、6つはそのポイントを教えてくれます（図8）。

でも次ページの図9に示したように、法則がダマシに終わる
ケースも多発します。また、ローソク足が移動平均線にタッチし
たあと、「何pips反転下落したら戻り売りすればいいの？」といっ
た点が、数値的に見てとても曖昧で感覚的なものです。

　グランビルの法則では、上昇トレンドのときの移動平均線は
右肩上がりじゃないといけないことになっていますが、「じゃあ、
どれぐらいの角度で、移動平均線が上向きになれば右肩上がりと
いえるのか」は教えてくれません。

　**すべてを数字に落とし込めない感覚的な売買シグナルには、ど
うしても違和感**を感じてしまう。

　『チャートの鬼』を読んでいても、移動平均線やトレンドライン
を使った場合、いったいどこでエントリーしたらいいのか、さっ
ぱりわからない。

　トレンドラインも、「どこを起点に、どこを終点に引くんだ？」

図8　グランビルの8つの法則とは?

① 横ばい or 上向きに転じた移動平均線を現在値が上抜けたとき

② 上向きの移動平均線を現在値が一時的に下抜けたとき

買

③ 上向きの移動平均線近くまで現在値が下落したとき

④ 下向きの移動平均線から現在値が大きく離れたとき

⑤ 横ばい or 下向きに転じた移動平均線を現在値が下抜けたとき

⑥ 下向きの移動平均線を現在値が一時的に上抜けたとき

売

⑦ 下向きの移動平均線近くまで現在値が上昇したとき

⑧ 上向きの移動平均線から現在値が大きく離れたとき

図9 グランビルの法則の曖昧な部分・具体例

ドル円日足（2016.11～2017.1）

20日SMA

下落

右肩上がりの
移動平均線近くまで
現在値が下落したものの
反転上昇せず下落

移動平均線

上昇が急すぎたり
長期間、上昇が
続いている場合は
当たらないケースも

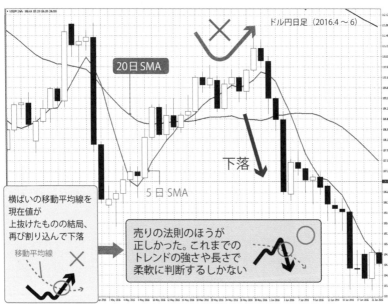

ドル円日足（2016.4～6）

20日SMA

下落

5日SMA

横ばいの移動平均線を
現在値が
上抜けたものの結局、
再び割り込んで下落

移動平均線

売りの法則のほうが
正しかった。これまでの
トレンドの強さや長さで
柔軟に判断するしかない

というのがかなり曖昧で、好きになれませんでした。

　たとえば、チャートパターンの底打ち反転シグナルに「ダブルボトム」や「逆ヘッドアンドショルダー」などがあります。でも、「この形状って、ほんとにダブルボトムなのか？」と疑い始めたらキリがありません。

　その点、ストキャスティクスの場合、「80％以上のクロスで売り、20％以下のクロスで買い」と、きっちりクリアに売買タイミングの数値が示されているので迷うことはない。これが素人の僕が、かなり玄人好みのストキャスを使って売買をし始めた理由です。

　で、その結果は、というと…。

　僕がFXを始めた2010年末から2012年頃にかけては、2011年の東日本大震災もあって、ドル円が1ドル80円前後を行ったり来たりしていた頃。

　上がったら売り、下がったら買いのストキャスティクスを使うには、ある意味、いい相場だったといえます。

　でも、この逆張り手法がうまく行くときもあれば、売られ過ぎシグナルが点灯したまま、ずるずる下げ続けることもあって、それほど儲かりませんでした。

　ただ振り返ると、**同じテクニカル指標でも20とか80とか数値がちゃんと出ている指標を真っ先に使ったのは、きっと、システムトレードの素養があったからかもしれません。**

FXでコンピュータより人間が優れている点

　というのも、コンピュータには曖昧なもの、とらえどころのないものは通用しません。

「過去の高値を結んだレジスタンスラインを越えたら買い」という高値ブレイク手法は、裁量トレードではとても一般的です。

　でも、これをEAで表現するためには、**レジスタンスラインを引くのに必要な2点の高値をどうコンピュータに決定させるか、その基準を設定するのが非常に難しいんです。**

　たとえば、「高値2点を結ぶ」というのは、「現時点からさかのぼって期間nの値動きの中の最高値と、その最高値からの数値の下方かい離が10pips以内の次の高値との2点の中間値」といった形でEAに取り込むことができそうです。

　でも、「じゃあ、期間nをどれぐらいに設定するのか」はとてもとても悩ましい問題になってしまいます。

　裁量トレードだと「過去の高値が重なっているところにラインを引く」といわれたら、なんなく誰でも似たようなラインを引けますが、**コンピュータには「過去」という言葉が通用しません。「今からさかのぼって△時間前」と日時を設定するなど、過去の期間を数値で指定しておかないと、認識できないんです。**

　つまり、システムトレードの思考というのは、

「売買シグナルを数値に落とし込んで、コンピュータでも判断できるようにすることだ」

と、今後の本書を読み進めるためにもご理解ください。そのためにはテクニカル指標に関して、かなり深い理解が必要になります。

　逆にいうと、裁量トレードでは「押し目や戻りを狙う」「高値ブレイクを追いかける」などといった手法が必勝法と見なされていますが、「押し目って何か」「ブレイクって何か」という肝心な部分が実は、かなり感覚的でいい加減なことが多い、ということ。

　感覚的で直感に頼ったトレードにはなかなか再現性が生まれず、相場の波に乗れないこともあるので、いいときもあれば全然ダメなときも出てくる、という欠点もあるということです。

　システムか裁量か。本書ではどっちがいいかを決めるつもりは

まったくありません。

● 裁量（＝人間）が優れているのは、曖昧でファジーな部分に相似や共通点を見出せること

● システムに必要なのは「数値」。テクニカル指標のシグナルが示す「数値」の意味や傾向を理解して、それを再構成できるだけの「発想力」が大切になる

ということ。

ド素人の大学生ながら、『チャートの鬼』という本と5万円×4回の失敗で、そこまで気づけたのはかなりの進歩だったと思います。

負けても焦る必要がない理由

数値にこだわって、どんぶり勘定が苦手だった僕は、FXの取引に今ひとつなじめず、5万円をずつ合計4回吹っ飛ばしました。

でも、合計20万円の失敗だけで、大学卒業まで1年を切ったあたりから、FXでどんどん稼げるようになりました。

そして、大学を卒業するときには、**FXで資産1200万円を稼ぐことに成功**しました！

僕の中の最初の「FX革命」になったのは、子育てしながらFXで大成功を収めたという鳥居万友美さんの『FXで月100万円稼ぐ私の方法』（ダイヤモンド社）を読んだことです。

FXトレードが上達するためのきっかけは人それぞれだと思いますが、僕の場合は不思議と「**本を読んだら進化した**」ということが多いようです。

セミナーや有名トレーダーのブログで上達したという人もいる

みたいですが、本のよさは文字を頭の中でいちいち言葉にして読むことで、その著者の成功・失敗談やFXについての考え方や成功法を「追体験」できることにあるのかもしれません。

　どんなFX本でも1冊、丹念に最初から最後まで読み通すと、思わぬ「気づき」や「発見」があるものなんです。

　鳥居さんの本は、FXが大ブームになったリーマンショック前に発刊された本でした。

　ブックオフで、中古本が100円で売っていたので手にとったのですが、手法はともかく、一番、タメになったのは、「**あっ、FXってトータルで勝てればいいんだ**」ということを実感できたことでしょうか。

　本書の中には、著者の鳥居さんが**FXでの勝ち負けを記録したリアルな日記が掲載**されていました。

　トレード日記をつけて勝っても負けても、自分のトレードをしっかり振り返る重要性が説かれていて、

「そうなんだ、日記をつけたほうがいいんだ」

　というのがまず1つ、大きな発見でした。

　さらに、その日記を見ると「FXで月100万円稼ぐ」というのが売り文句の本なのに、結構、負けトレードも詳細に公開されていたんです。

「**負けは負けで素直に認めて、次、勝てればいいんだ**」と思えたのが第2の発見です。

　それまでの僕は、多くの初心者と同じように、「損切りできない病」、「負けたら、その損失をすぐに取り返さないと気が済まない病」にかかっていました。

　でも、本書を読んで、「負けるのは悪くない。重要なのは、トータルでどうにか帳尻を合わせて、勝ちに持っていくこと。そのた

めには大負けだけはしないようにすればいい。つまり、損切りはきちんとしよう」ということがわかった、というか、腑に落ちたというか、妙に頭の中がすっきりしました。

「**負けたからといって焦る必要はない**」「**トータルで勝てればいい**」という発想は、当時の僕にとってとても斬新でしたね。

FXとギャンブルは違うけど似ている

　FXトレーダーになって他の専業トレーダーさんたちとお話をすると、多くの方（決して、全員とはいいませんが）はパチプロとかパチスロで生計を立てていたとか、ギャンブルをやっていた人が多いのが実感です。

　「FXはギャンブルではない」とよくいわれますが、**ギャンブルをやって、破滅せずに勝ち逃げできる人って、FXをやってもやはり強い**と思います。

　FXもギャンブルも、お金が絡んでしまうので、結局、熱くなったら絶対に負け、というのはまったく同じです。

　ギャンブルの経験があって、しかもFXでもきちんと勝てている人には、「ここでは負けても結果、トータルとして勝てればいいんだ」という発想ができるように思います。

　僕自身はギャンブルの経験がまったくないですし、今もありません。

　やはり、ギャンブルをやらない人って損切りに対する「耐性」がない。

　「損切りは自分自身の存在や正当性を否定されることだ」とか、どこかでカッとなってしまうところがあるんだと思います。

　その「カッとなる思い」は、受験勉強とか仕事とかスポーツとか、普通の競争なら、負けず嫌いといういい面にもなって、その

あと、負けないための努力や鍛錬につながると思います。

　でも、FX取引って、どんなに優れたトレーダーでも、しょっちゅう負けるもの。負けず嫌いで、負けが認められず、「ちくしょう、絶対、負けを取り戻して倍勝ちしてやる」なんて勢い込んだら最後、ほぼ100%、全財産を失って退場になります。

「ここは負けて悔しいけど、いったん退こう」という人生のワビサビというか、心の度量というか、余裕というか。

　逆にいうと、プライドや節操のなさや自虐的な思考というか、加減を知るという意味で「いい加減」というか、自分自身の考えを絶対視しないで、否定できる器のでかさがないと、勝てるものも勝てなくなります。

　そういう意味では、3割打てれば一流といわれるプロ野球の選手のように、7割、失敗しても、全然めげない図太いメンタルは必要です。

　本書ではのちのち「メンタルで勝つのは無理、逃げるが勝ち」という話もしますが、少なくとも、「**負けても、なんとか帳尻を合わせて勝ちにもっていこう**」というポジティブな気持ちは大切です。我を忘れるほど熱くならず、沈着冷静でいられる気持ちがない限り、「損切りができずに破滅する」という初心者の壁をなかなか越えることができません。

　勝ち続けるためにはまず負けないことが先決。
「トータルで負けない」「破滅しない」という**FXのスタートライン**に立つためには、まず「**損切りできない病**」の**克服が必要**だと思います。

損切りを覚えると人間としても成長する

　赤ちゃんがよちよち歩きできるようになって初めて「子供」に

なるように、**FXトレーダーは「損切りができて」、初めてFXトレーダーになります。**

　損切りができない人は、FXとか株のデイトレとか先物、CFD取引とか、金融商品の短期の値動きを利用して一獲千金を目指すトレーディングとか投機といわれるものには手を出さないほうがいいです。

　本書を今すぐ閉じて、iDeCoやつみたてNISAを使った長期少額積立投資とかにシフトチェンジしたほうがいいでしょう。

　むろん、先ほどもいったように、単純に損切りばかりしていたら、損切り貧乏になってFXをやっている意味がありません。**「損切りって何か？」というと僕は、リスクリワードを上げる行為**だと思っています。損切り同様、FXでは利益は大きく、損失は小さくという「利大損小」が重要といわれますが、そのためには「損失を早めに摘みとる損切り」が必要不可欠です。

　そのあたりはまたあとで詳しくご説明することにしますが、とにかく、ギャンブルもしない真面目な青二才だった僕にとって、鳥居さんの本は「損切り」や「帳尻合わせ」「やり繰り」といった、とっても**人間臭い妥協の産物こそがFXトレード**なんだ、ということを教えてくれた良書でした。きっと、損切りができるようになって、人間としても成長できたと思います。

　その点、手法うんぬんではなく、この著書にはとても感謝したいと思っています。

指標の意味を理解して、複数の指標を使う

　損切りをちゃんとできるようになった僕が、テクニカルの面で一歩前進できるきっかけになった、もう1つの本が、田嶋智太郎さんという金融ジャーナリストが書かれた『FXチャート「儲け」

の方程式』（アルケミックス）でした。

　本書はテクニカル指標を集めた本でしたが、最初に読んだ『チャートの鬼』のような羅列ではなく、ローソク足の成り立ちから始まって、移動平均線、フィボナッチ、一目均衡表などを実戦的に解説してくれる名著でした。

　特に一目均衡表なんかは、単純に雲が抵抗帯・支持帯になるという表面的な売買シグナルだけでなく、値動きを裏で支配している時間や波動なんかについても詳しく書かれていました。

　それまで「数値」ばかりにこだわっていた僕にとっては、それこそ「目からウロコ」の一冊になりました。

　先ほども書いたように、僕は移動平均線や一目均衡表なんて「曖昧だ」「よくわからない」と敬遠していました。

　でも、本書を読んで、そんな僕がまだまだ青臭いド素人だということに気づかされました。

　やっぱり、単純に「数字ですぐわかるから」という理由からストキャスティクスだけを単独で使っていても、とてもじゃないけど、FXじゃ勝てない。

「1つのテクニカル指標に頼るのではなく、複数のテクニカル指標を使いこなして、総合的な判断で相場分析や売買ポイント探しをしないとダメだ」

　と痛感したのも、本書に出会ったおかげです。

　先ほどもいったように僕は「曖昧で」「どこか、なあなあ」な移動平均線やトレンドライン、フォーメーション分析を使った押し目買いとか戻り売りが苦手でした。

「買い時や売り時、決済のタイミングをきっちりと数字で示してくれ」

　という欲張りな願望のせいで、当時は「おおざっぱ」に見えたトレンド系指標をうまく使いこなせていなかったと思います。

　でもFXトレードを続けてみて、やっぱりトレンド系指標で上昇トレンドにおける押し目買いのタイミングを計ったり、為替レートが過去の高値を抜いて勢いよく上昇するブレイクアウトに便乗したり…、FXの裁量取引では、数値うんぬん以上に自分が「ここだ」と思うポイントで勇気を持って勝負することも大切だ、ということがわかりました。

　勇気を奮い起こし、信念を持って行動するためには、理論武装も大切です。

　さまざまなテクニカルに精通して、そのよさや弱点を十分理解したうえで、複数の指標を組み合わせて総合運用する必要性をひしひしと感じました。

アベノミクス相場の初動に巡り合えた幸運

　中でも実戦でよく使うようになったのが、田嶋さんの本で興味を持った「波動」にもつながる「フォーメーション分析」とか「チャートパターン」と呼ばれる値動きの形状分析でした。

　特に実戦でものすごく重宝したのが「逆三尊」です。

　これは、安値、最安値、もう一度、安値と3回安値をつけたあと、その過程でつけた中間高値を越えると底打ち反転というシグナルですが、当時は2012年12月に安倍自民党が政権交代に成功してアベノミクスが始動した時期でした。

　ドル円は次ページの図**10**に示したように、2011年10月末に1ドル75円台の史上最安値をつけて以降、じわじわと上昇を始めました。

　2008年、僕が高校3年生のときに勃発したリーマンショック以降、ドル円は長い長い下降トレンドが続いていました。しかし、地獄のような4年近い下げ相場を経て、図にもあるように、よう

やく重たい首を上げて上昇に転じました。

　大学3年生ぐらいで本格的にFXの取引を始めた僕ですが、このチャートを見ると、とても運がよかったといわざるをえません。

　だって、FXを始めてから2年もしないうちに空前の大、大円安相場に巡り合うことができたわけですから。

　そう考えると、2020年コロナショックで世の中はパニックになっていますが、このパニックのあとにはきっとものすごく簡単な株式の上昇相場が待っているのかもしれません。

　アベノミクスが始動したときも、その1年前には1ドル75円台という空前の円高が進み、「1ドル50円になるかも」という説まで流れていました。そんなピンチの中、颯爽と始まったのがアベノミクスというわけ。ピンチのあとにはチャンスが来る。

　2020年コロナショックを克服したあとのFXや株式相場がどうなるのか、今からとても楽しみです。

図10　ドル円相場とアベノミクスと僕のFX歴

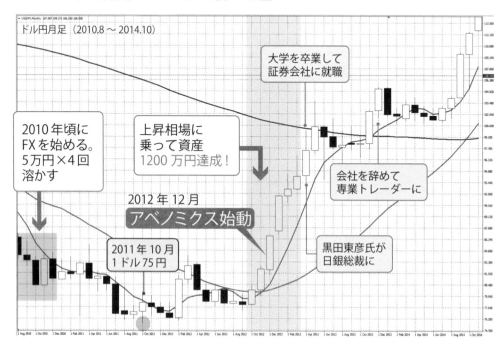

逆三尊を使ってドル円の反転上昇相場に乗る

　それはともかく、大学卒業を目前に控えた2012年12月から始まったアベノミクスの反転上昇相場では、図11に示したように上昇中のドル円がやっぱりダメだと、いったん下げたあと、**ローソク足が逆三尊の形状で3点底をつけたところから再び上昇するタイミングで買いを入れるのが、最もシュアな押し目買いのポイント**でした（図の値動き自体は2019年。アベノミクス当時のものではありません）。

　図でいうとAの逆M型の横ばい相場が逆三尊となり、ネックライン（中間高値）Bを越えたところが買いエントリーになります。

　厳密にいうと、**逆三尊というのは下落相場が大底をつけて反転上昇するときに出る底打ちシグナル**です。

　僕が使ったのはアベノミクス相場で上昇を続けるドル円が押し

図11　反転上昇相場を逆三尊で押し目買い・具体例

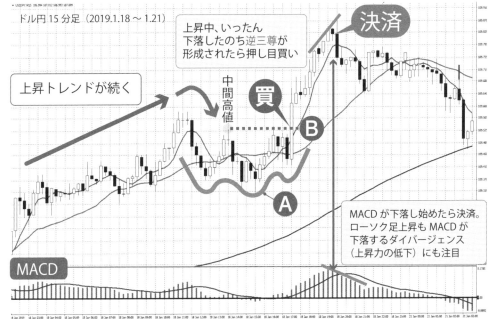

目をつける局面でした。

　使い方がセオリー通りではなかったかもしれませんが、とにかく、図11のような3度、安値をつけて下げ止まる動きが出たあとは、必ずといっていいぐらい急上昇モードが再開するので、この手法でどんどん利益を出すことができました。今から考えると、シグナルはなんでもよかったと思います。2012年12月の衆議院選挙で民主党政権から安倍自民党への政権交代が決定してからのドル円はまるで火がついたように上昇を続けたので、とにかく「何かテキトーなシグナルを口実にして」どこかで買いを入れていればさえすれば、誰だって勝てた相場だったといえるでしょう。

MACDダイバージェンスで利益確定を繰り返す

　むろん、すでにこの頃の僕は、レバレッジ500倍も当たり前の海外FX口座を使って、時には100万通貨以上のかなり大きなLotで勝負していました。

　超ハイリスクな取引でいつ何時、急落して大損という事態が発生するかわからないので、上昇相場といっても、こまめな利食いが必要です。

　図12を見ながら説明しましょう。

　利益確定にはMACDのダイバージェンスを利用することもありました。MACDの詳しい説明は第4章に譲りますが、**ダイバージェンスというのは、上昇の場合、為替レートが高値を更新しているのにMACDが高値更新できずに右肩下がりになった状態**。為替レートの上昇は続いているものの、上昇「力」が鈍ってきたシグナルになるので、買いポジションを持っているとき、MACDのダイバージェンスが発生したら、そろそろ利食いを考えていい時期になります。

　また、MACDのダイバージェンスに注目すると、上昇トレンドがじょじょに失速して、下降トレンドへと移行する**トレンド転換のタイミングも教えてくれます。**

　MACDのダイバージェンスが続いても、トレンドが失速せずに上昇を続けるダマシも多いので、トレンド転換の察知には移動平均線の並びや直近安値ラインの割り込みなど、他のトレンド指標も組み合わせて使う必要があります。

　そう考えると、MACDのダイバージェンスは、やはり、トレンド転換より、トレンド相場で押し目買い・戻り売りをしたあとの**利食いのタイミングを計るのに使ったほうが効果が高い**と僕は思いますね。

　5分足、15分足、たまには1分足も使って、急上昇後の反転下落が逆三尊を形成したところでエントリー。MACDのダイバージェンスが発生したらエグジットというルールで、僕は飛躍的に

図12　トレンド失速＆転換とMACDのダイバージェンス

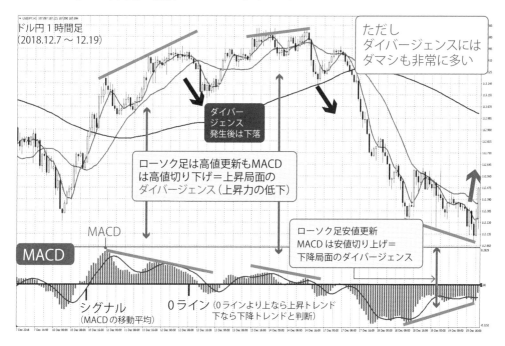

利益を伸ばしていくことができました。

大学生なのに資産1200万円達成＆ちゃっかり就活

　FXの成績は、相場の状況に大きな影響を受けます。

　どんなに腕の立つ熟練専業トレーダーでも、上に行くのか下に行くのか、はっきりしないレンジ相場が続くと勝てないですし、逆に2012年末以降のアベノミクス相場のような単純なアゲアゲ相場なら、僕のようなド素人でもいとも簡単に大金を稼げてしまう。

　ある意味、それがFX投資の醍醐味といえるでしょう。

　あれよあれよという間に大学卒業を迎えた僕は、人生で5万円を4回溶かしただけで、5度目に投入した5万円を1200万円まで増やすことに成功しました。

　大学生だった僕はFXに没頭しながらも、同時に就職活動にも力を入れていました。

　大学生になってからは2011年に東日本大震災が起こり、その後、景気低迷も続いていたので、就職氷河期でした。

　大学の友人の多くは資格取得で士業を目指したり、公務員試験を受けたり、手堅い職業につくのがトレンドでした。

映画『ウォール街』に憧れて、証券会社に就職

　僕が目指していたのは金融機関です。

　FXにのめり込んでいたこともあって、パソコンのモニタがいっぱい並んだトレーディングルームで颯爽と仕事するディーラーに憧れていました。

　当時の僕のアイドルは映画『ウォール街』に登場するゴードン・

ゲッコーという冷酷非情な大金持ちの投資家でした。

「強欲はいいことだ」「お金は眠らない」という劇中で繰り返された彼の口癖はとても有名になり、「ウォール街＝グリード（強欲）」というイメージを焼きつけた記憶に残る映画になりました。

　ゲッコー役を演じたマイケル・ダグラスは、アカデミー主演男優賞を獲得しています。

　物語は、チャーリー・シーン演じる貧しい青年が証券会社の一営業マンとして、ウォール街で幅を利かす金持ち強欲投資家ゲッコーと出会うところから始まります。

　ゲッコーが投資する会社のインサイダー情報を収集するなど、主人公はゲッコーになんとか気に入られようと悪戦苦闘します。

　法律に触れるような悪事も働いて、ついにゲッコーの信頼を得ることに成功。摩天楼の高層マンションで美人のガールフレンドと暮らすまでに成り上がる主人公のサクセスストーリーが描かれます。

　しかし、強欲や偽善、カネのためならどんな卑怯な手段もいとわず、買収した会社の従業員のクビを切りまくるゴードンの冷酷で非情なやり方に嫌気がさした主人公は、父の窮地を救うためにゴードンに反旗を翻（ひるがえ）します。

　さまざまな策を練ってゴードンを刑務所送りにした主人公ですが、自らも過去に犯した罪を問われて逮捕されるところで物語は終わります。

　葉巻をくゆらせ、不敵な笑みを浮かべて「強欲は善だ」と語る金と欲にまみれたゴードン・ゲッコーは一言でいえば「悪人」「金の亡者」ですが、映画の中では、こってりラーメンのようなギラギラした欲のパワーを漂わせていました。

「僕も株の営業マンになって、ゴードン・ゲッコーのような大金

持ちに会いたい」

　自分自身にはそれほど成金趣味や出世欲がなかったので、逆に怖いもの見たさといった感じでしょうか。

　ただし、自分自身が進化し、成長し続けるためには、自分が見たことも聞いたこともないような人とたくさん出会って、経験と知識を積まないといけない、という強い思いはありました。

「投資で成功して大金持ちになった成功者」の実例を見て、学びたい。

　そんな純粋な思いで金融機関を第一志望にしていた僕は、見事というか、すんなりというか、それほど苦労することなく、大手証券会社に入社することができました。

大手証券会社の顧客損益は「真っ赤っ赤」だった

　僕が日本で2番目に大きな大手証券会社に入社したのは2013年4月のことです。

　アベノミクス相場が始まる直前の2012年9月に1ドル76円台まで下げたドル円は4月1日の入社の日、94円台まで上昇。僕のFX口座の資金は1200万円まで増えていました。

　入社した4月には黒田東彦氏が日銀総裁に正式に就任。「物価上昇率2％」のパネルを掲げて、「黒田バズーカ」と呼ばれる量的金融緩和策を打ち出し、2013年5月、ドル円はついに100円の壁を突破しました。

　「よし、これで僕もゴードン・ゲッコーに会える。きっと、その出会いは僕自身の成長や進化につながるはず」と勢い込んでみたものの、僕の配属先はまばゆいディーリングルームではなく、東京の下町にある支店の個人営業部でした。

　不景気な頃の証券会社についてはなんにも知らないですが、たかが支店とはいえ、アベノミクスによる株高・円安に沸く証券会社の店内は明らかにテンションが高かったですね。

「あっ、これが景気いいってことなんだ」と、最前線で実感できたのは収穫でした。

　支店のモニタ端末をいじると、その支店に口座を持っている顧客の損益状況の一覧を見ることができます。

　入社して初めてその損益データを見たときは、「なんじゃこれ？」というぐらい、真っ赤っ赤で、みんな損失を抱えていました。

「証券会社って株やれば儲かるとかいっているけど、ほとんどの顧客は逆に株で大損してるんだ」 と真っ赤っ赤の画面を見て、ドン引きしてしまったのを覚えています。

　それでも顧客の損益情報を頭に入れながら、「あっ、この人、前日より少し損が減ったからテンション高いな。今なら株買うかも」などと判断して、営業の電話をかけるのが僕の仕事です。

　入社早々、黒田日銀総裁誕生のご祝儀相場で、株価は熱気むんむんで上昇し続けていたので、株の営業もすごくやりやすかったです。実際、真っ赤っ赤だった顧客データもどんどん損益が改善して、赤色で示された損失が減っていき、中には緑色、すなわち利益が出ている顧客もじわじわと増えていきました。

　そういうお客様は当然、FX初心者だった僕が陥ったように「もっと儲けたい」「もっともっと稼ぎたい」という興奮状態にありますから、証券営業のターゲットとしては最適な存在になります。

僕が証券会社をたった9か月で辞めた理由

アベノミクスバブルに沸く証券会社で、証券営業を続ける日々が続きました。

リーマンショック以降、長い長い不景気が続いたあとの久々の好景気ということもあり、僕が勤める支店も活気にあふれ、営業マンは「ここぞ」とばかり、死に物狂いで営業活動に励んでいました。

でも、アベノミクスでドル円がどんどん上昇すればするほど、僕の中には、焦りが広がっていました。大学時代にFXですでに1200万円の利益を得ていた僕にとって、この相場は他人に勧めるのではなく、自分が味わうべき一種の「バブル」です。

「こんなに儲かるんなら、早く証券会社辞めて、投資家に戻らなきゃ」

せっかく僕みたいな人間を採用してくれた証券会社には失礼ですが、続々と顧客損益がプラス転換するデータを見て、僕が真っ先に思ったことは、**「このチャンスに僕も乗りたい」**という想いでした。

というのも、証券会社の社員になるとFXや株式の自己売買は就労規則で禁止されてしまいます。

学生時代、初期のアベノミクス相場に乗って5万円の資産を1200万円まで増やした「自信」もあったので、手取り20万円そこそこの初任給で働くのは割が合わないような気がしました。

証券会社に入ったのは、投資と呼ばれる職業の裏側を知りたい、できればゴードン・ゲッコーのようなお金の臭いがぷんぷんする投資家に会って人生修行したい、という想いからでしたが、志望していたプロのトレーダーやファンドマネージャーになれるのは、

僕なんかよりずっといい大学を出た偏差値70以上の高学歴ばかり。僕は泥臭い支店営業で、株好きのご老人たちを口八丁手八丁で焚きつけて、株の売買手数料や投資信託の販売手数料を荒稼ぎしないと出世の道はありません。

「会社辞めます」

そう上司に切り出したのはもっと早い時期でしたが、引き留めもあったので、年末の12月まで待って証券会社を辞めました。

憧れのゴードン・ゲッコーのような強欲で超お金持ちの投資家に会えたか？

ゲッコーレベルではないですが、東京の下町にも、土地をたくさん持っている大金持ちの株好きの富裕層は結構いて、そんなオヤジさんたちと交流が持てたのは貴重な体験でした。

大手証券マンから「専業トレーダー」になる

12月に会社を辞め、学生時代に1200万円稼いだ**FX1本で生きていくことを決めました。**

それほど悲壮な決意も、世の中を見返してやりたいという反骨心も、"億り人"になって悠々自適な生活を送りたいという成り上がり欲もありませんでした。

でも、「人生は一度限り。自分の好きなことを自由にとことんやり遂げて、自分自身の力だけで人生を切り開きたい」という強い思いはありました。

成長願望というんでしょうか、自己実現欲というんでしょうか。ゴードン・ゲッコーに憧れていたのも、自らの強欲を満たすためなら、どんな手段も選ばずわが道を進む、その突進力に魅かれていたのかもしれません。

当然ながら、FXの専業トレーダーとしてやっていく自信だけ

は妙にありました。

　証券会社に入社した直後に、高校時代から付き合っていた彼女と結婚することを決めていました。
「〇〇証券か、そりゃ立派なところに就職したんだね」
と彼女のお父さんは結婚を大歓迎してくれました。
　結婚式が近づいて、僕が会社を辞めた報告をしたときも、
「それが君の選んだ道なら応援するよ、頑張れ！」
と、彼女の家族はずっと僕のFXトレーダーとしての人生を応援してくれています。
　妻の家族の温かい理解が「FXでもっともっと稼いで、家族とともに幸せで実り多い人生を送りたい」というモチベーションの原動力になっています。
　家族があるからこそ頑張れる。
　きれいごとのように聞こえますが、FXというハイリスクな「仕事」を選んだ今、つくづくそう感じます。

第2章

トレード成績を飛躍的に上げる
ヒロ式
「過去検証」「期待値」の術

FX初心者が通る「関門」全部お教えします

「いい損切り」と「悪い損切り」の違い

　僕はバイトで稼いだ5万円を4回飛ばしただけで、その後はさしたる大失敗もなく、大学卒業までに資産を1200万円に増やしました。自分でも「嘘みたいな話だ」と時々思いますが、真実です。

　今、振り返ると、たまたまアベノミクス相場到来の好地合いだったから、という面もありますし、いまだ500倍以上の高レバレッジがかけられる海外のFX会社でトレードしていたというのも大きいです。でも当時は、

「自分はFXトレードの申し子だ」

　なんてうぬぼれていました。ド素人がFXで1200万円儲けるまでには、さまざまな学びや気づきがありました。めちゃくちゃ単純にそのプロセスを段階別に追っていくと、

①FXにはテクニカル指標があるんだ、へー、おもしろいな、と思って、それらを使って売買してみるが全然うまく行かない。
②うまく行かない理由をよく考えると、損切りできない自分がいた。やっぱり損切りしないとコツコツ勝ってドカンと負けることになるし、損失を取り戻すまで取引がやめられなくなって「ポジポジ病」「トレード中毒」に陥る。
③トレード日記をつけると、自分の取引をあとから振り返って反省できることに気づく。日記に自分の犯した失敗を書くことで「ポジポジ病」を克服。欲にかられただけ、資産を減らすだけの確証のない取引を減らすことができた。

④単純なテクニカル指標の知識だけでなく、それらの長所、弱点をよく理解して組み合わせて使うワザを学ぶ。テクニカルを総合的に運用することで実戦でも儲けられるように。

⑤祝・1200万円。The END（ちゃんちゃん）。

　FXで億単位のお金を稼いだ人のサクセス本はごまんと出ていますが、その内容はだいたいこんなプロセスになります。

　でも、**本当に「損切りを覚えて、メンタルを鍛えて、テクニカルのワザを磨けば、誰でもFXで億万長者になれる」のでしょうか？　否、僕はなれないと思います。**

　まず「損切り」について、です。

　確かに初心者の方がFXで秒殺されるのは損切りができないから。自分の負けを認めるのが死ぬほどイヤで、取引したポジションの含み損がどんどん膨らんでも「きっとまたプラ転するはず」という一縷の望みにしがみついて、結果、玉砕するパターンです。

　なので、損切りができない人は絶対、FXでは成功できない、と僕も思います。でも損切りができたからといって、FXで成功できるとも限りません。

　そう、損切りだけしていても損切り貧乏になるだけです。

　そこで僕はド素人から一歩進んで、損切りできるド素人になったときに考えました。

「損切りっていったい何か？」と。

　どうして損切りがFXで必要かというと、損切りすることで損失を限定することができるからです。

　たとえば損切りを徹底して、10の資金で取引したとき、損失が1になったら必ず損切りする、とします。

　逆に10の資金で2の利益が出るような場面だけを狙って取引すれば、**想定されるリスクリワードは2：1**になります。

リスクリワードが2：1なら、勝率4割でも10回のトレード中、4回の勝ちで8、6回の負けで6、差し引き2の儲けになって、利益を出すことができます。

つまり、前にも書きましたが、**損切りというのはリスクリワードを上げるための行為**というわけです。

「損小利大」という目標にもワナがある

よく「損小利大がFXで生き残る道」といわれます。コツコツ儲けてドカンと損するのではなく、**コツコツ損してドカンと儲ける損小利大を目指すことでFXの成績を伸ばしましょうよ**、というのが損切りの効用なのです。

しかし、この取らぬ狸の皮算用には大きな欠陥があります。

それは、「この取引では1の損切りポイントに対して、2の利益が出そうだ」というリスクリワードが、あらかじめわかっている取引なんて、ありえないからです。獲得できる利益が取引する前からわかっていたら、誰だってFXで儲かってしまうでしょう。

「FXの極意は損小利大というけど、本当にそうか？　損切りだけきちんとして、大きく勝てるチャンスを狙ってさえいれば儲かるのか？　大きく勝てるチャンスを事前に予想するのは難しい」

僕は疑問に思うようになりました。

FXでリスクを管理し、安定的に運用するための指標のひとつに、

「勝率×リスクリワード×最大損失許容量」

という計算式があります。

つまり、損切りをこまめにすることでリスクリワードを上げる努力をしなくても、高めの勝率をキープできれば、こまめに損切

りしなくても利益は出せます。

オススメしませんが、最大損失許容量を大きくして「ここぞ」という場面でドカンと巨額の資金を投じて大儲け。横ばい相場など細かい取引は極力やらない、という大物狙いでも利益を伸ばすことはできます。

どのやり方で利益を出すかは、こりゃもう、人それぞれです。

つまり、損切りや損小利大は大切ですが、「**損切りをなるべくしなくても、利益が増えるようにする**」「**勝率を上げたり、取引回数を減らすことで、大きな利益を狙わなくても着実に儲かるようになる**」という「境地」というか「新次元」までトレードの精度をアップしないとFXでずっと成功するのは難しいな、と感じるようになりました。

バイトで日給1万円の人が、バイトを続けたまま、日給2万円を達成するのはおそらく、不可能です。

いったんバイトを辞めて立ち止まり、資格をとったり、人脈づくりに励んだり、より単価の高い仕事につけるような**自己投資に励むことが、給料2倍を達成するためには必要**です。

FXトレーダーも基本は同じ。考え方や投資スタイルをどんどん発展・進化させてレベルアップしていかない限り、よりよい未来は保証されません。

メンタルを心拍数と血中酸素濃度で数値化

FXでは損切りのほかにも、「もっと儲けたい、絶対損したくない」という感情や欲望と戦えるだけの強いメンタルが必要だと、よくいわれます。実際、「損切りできるメンタル」は初心者の方には絶対必要だと僕も思います。

でも、実際にトレードしていて、「うっ、負けた、悔しい」「畜生、

この負け、取り返してやる」「ああ、あのとき、取引しておけばもっと儲かったのに」という未練や執着心や後悔は、FXでコンスタントに勝てるようになった僕でも、いまだに感じてしまいます。

FXトレードに勝つためには「メンタルを強くしなきゃだめ」といわれて、そこに腐心する人も多いですが、ぶっちゃけた話、「**メンタルはどれほど鍛えてもそんなに強くならない**」と僕は思っています。

僕には「なんでも自分で確かめないと納得できない」というクセがあって、あるとき、ふと「メンタルは数値化できるのか？」と疑問に思って、心拍計や、血中酸素濃度を測るパルスオキシメーターという機械を買い込んだ話は、本書の冒頭でしました。

何度も計測して、僕が出した結論は、どんなにトレード経験を積んでも、どんなに冷静な気持ちで値動きを見ようとしても、「機械と同じように、なんのプレッシャーも感じずにトレードする」のはやっぱり無理、というものでした。

実際、買いで入ってから損失が膨らんで、「じゃあ、売りで勝負だ」と倍がけでドテン売買したときなんか、心拍数がこれまで見たことがないぐらい、上がりました。
「心拍数、血中酸素濃度がこの数値を超えているときはトレードしない」というルールを自分に課したぐらいです。

笑えますか？　でも、それぐらい、FXトレードからメンタルの要素を排除するのは難しいことなんです。

メンタルが関与しない「仕組み」を作る

「努力すればなんとかなる」「失敗は成功のもと」なんて言葉も、きれいごとに過ぎません。僕が「数字好きで、自分が納得するまでとことん調べる」凝り性タイプの人間であるように、生まれな

がらに備わったメンタルとか性格とか気質というものは、そんなにやすやすと変えられるものではありません。

　人間ってある意味、「同じ失敗を何度も何度も繰り返す生き物」です。人生が人それぞれ違っているのは、確かに、その人の努力や頑張りもあるのでしょう。

　でも、赤ん坊のときには無限大だった可能性や選択肢は、年をとるたびにどんどん狭く少なくなっていきます。

　人生の分岐点で、何度も何度も同じ失敗を繰り返した挙句、たどり着いたのが今の人生だったり、境遇だったり、社会的な地位だったりする…。少し哲学的な話になってしまったので話を戻しましょう。

「メンタルは鍛えられない」というのが事実だとしたら、どうすればいいのか？　答えは１つしかありません。

「メンタルから逃げる。メンタルが関与しないところでFXの取引をする」ことしかないように思います。

　パルスオキシメーターや心拍計を買って、自分の正常値を把握したうえで、そこからハズれたら要注意、と僕のように徹底的に、というか変態チックなまでに数値にこだわってみるのも、メンタルから逃げる１つの方法かもしれません。

　そこまでやらなくても、自分なりに「メンタルが関与しないところでトレードする仕組みやルール」を作らない限り、FXトレードは精神をどんどん消耗させてしまうブラック労働になってしまいます。

僕のトレード日記に書かれていたこと

「メンタルなんかで悩むのは本当に時間のムダ」と僕がつくづく思ったのは、トレードの上達のためにと思って初心者時代からつ

けていたノートを読み返したときです。

　僕は鳥居万友美さんの本に触発されて、初心者時代からトレードノートを一生懸命書いていました。

　日記にびっしりトレードの記録を書くのはなかなか褒められたモノだと思うのですが、その内容を読み返すと、自分が無意識のうちに書いていることの実に9割が、残念なことに、メンタルの話、すなわち反省の弁ばかりだということに気づきました。

「今日はムキになってしまった」、「平常心を失った」、「恐怖心に負けた」、「欲をかいた」、「いい加減、しっかりしたい…」。

　少しトレードがうまく行くと、

「今日は終始冷静にトレードできた」、「1度もルールを破らずに取引できた。Good…」。

　とか。

　アホですね。あとから読み返すと、小学生の初恋日記みたいで、恥ずかしいことおびただしい。

　それほどFXで勝つために必死だったんだと思いますが、ふと僕は思いました。

「大の大人が、こんな内容ばかりノートに記録していても、未来に向けて何かいいことが起こることはないな」と。

　だって、この調子でノートをつけていても、トレードで損失が出たら「今日はメンタルがダメダメだった」、儲かったら「メンタル面で冷静になれた」とか、1年経っても、2年経っても、結局、また同じことをノートに書いているのは火を見るより明らかだからです。

　すなわち、メンタル問題なんかで消耗していると、本来、**FX**
で儲けるための手段であったはずのメンタル面の問題解決が、い
つの間にか目的化してしまい、テクニカルの理解や値動きの分析
など本来、トレーダーとして必要な成長ができなくなってしまい
ます。結局、メンタルの問題をどんなに突き詰めても、最後に出
る結論は、
「メンタルを排除して機械のようにトレードすることが大事」
「機械は頭に血が上らない。ビビらない」
　以外ありません。
　だったら…「最初から機械が取引すればよくない？」という結
論に落ち着きます。
　裁量取引でもそこそこ、うまくトレードできていた僕が、シス
テムトレードに舵を切ったのはそれも理由の１つです。
　メンタルに悩まなくなってからの僕のノートは、**新しいアイデ**
アとか、初めて知ったテクニカルの計算方法とか、そんな建設的
な内容で埋まるようになりました。
　本当に重要なことって、僕自身の感情とか心の状態よりも、こっ
ちのほうですよね。トレーダーとして勝ち組になるためには考え
ることもやることもたくさんあります。
　しかし残念ながら多くのトレーダーは毎日、自分自身の心や感
情を制御するだけで手いっぱい。必要なことに着手できなかった
り、取り組みが不十分に終わってしまったりしています。
「メンタルなんか…」の問題は一瞬でクリアしておかないと、ゴー
ルまでたどり着けません。
　それが僕のメンタル問題についての結論です（次ページ図13）。

みんなテクニカルを「なんとなく」使っている

「損切りはしなくてもいい」「メンタルは鍛えなくてもいい」の次に僕が考えたのが「テクニカルはなんとなくで、いいのか」です。

多くの裁量トレーダーはかなり稼げるレベルの人でもテクニカル指標をなんとなく使っています。

たとえば、FXの「必勝法」としてよく紹介されるのが、押し目買いや戻り売りです。

値動きが上か下か、どちらかに向かって動いているとき、そのトレンドがいったん失速したあと、再び元のトレンドに戻る瞬間に売買するのが押し目買い・戻り売りの発想です。

その判断には移動平均線やトレンドラインなどいろいろな指標が使われます。

たとえば、グランビルの法則では、右肩上がりの移動平均線を

図13 「損切りしなくていい＆メンタルは避ける」の境地へ

「FX の進歩」に必要なのは？

初心者

「損切りできた！」
「メンタルと悪戦苦闘！」
「テクニカル指標を覚えた！」

損切り貧乏
メンタルを制御できない
ダマシに翻弄される

なかなか進化できない…

新次元のFXへ

過去検証して期待値の高い手法を身に付ければ損切りは怖くない。メンタルとは戦わず逃げる！

いったん割り込むか、割り込まないまでも移動平均線の近くまで下がってきたあと、再び上昇に転じたら買い、という「押し目買い」の手法が法則の1つになっています。

「なるほどトレンドが大事で、そのトレンドに逆らって動いたあとの反転を狙えばいいんだ」

と、なんとなく頭では理解できるかもしれませんが、実際にトレードしてみると**「どこまで反転したらトレンド方向に回帰したと見なすか」は結構難問**です。

図14にドル円の1時間足のローソク足、5時間SMA（以下、「5MA」と表記）、25時間SMA（25MA）を表示しました。

見ての通り、ローソク足は上昇を続け、25MAも右肩上がりなので上昇トレンドです。

このとき、**「ローソク足が右肩上がりの25MAを割り込んだあと、次に陽線が出て25MAの上に出たらその終値でロング（買い）**

図14　押し目買いと売買ルールの検討・具体例①

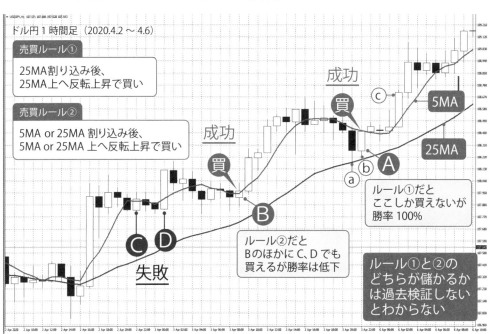

エントリーする」という売買ルール①で押し目買いを実行したとします。

その際、実際に押し目買いできるのはAのポイントです。ローソク足aの下ヒゲが25MAを割り込んだあと、次の1時間足bが陽線で切り返しているので、その終値でエントリーです。その後、ローソク足は3時間ほど横ばいで推移しましたが、cの大陽線が出現して上昇が加速し、押し目買いに成功しています。

でも、この図の場合、Bのポイントもローソク足が下落後に再上昇しているので押し目買いの好機でした。しかし、ローソク足は25MAまで下りてこなかったので、先ほどのルール①では買えません。

ルールを少し広げて、「**ローソク足が5MAor25MAを割り込んだあと、次に陽線が出て5MAor25MAを越えたらロング」（図14ルール②）** というように、5MAも反転上昇の基準に含めると、Bでも押し目買いできます。

しかし、5MAまでルールに含めると、図のCやDも売買ポイントになります。

CもDも、終値で5MAを割り込んだ次の陽線の終値が5MAの上に出ているのでルール②では買いになりますが、その後、陰線が出て下落しているので、失敗トレードといえば失敗トレード。

実戦では、自分が取引するローソク足の先はまったくの白紙ですから、AからDまですべて取引をしたときの勝率は5割になります。

一方、エントリー基準を25MAに限定した売買ルール①のほうは、あとから見ると結構おいしいAのポイントでしか売買できませんが、図の値動きだけに限ってみれば、勝率100％。

結構、大きな利益を得ることができました。じゃあ、**ルール①と②は結局、どっちがより儲かるのか？**

　もし、過去の検証をせずにその場の勘だけで勝負していたら、永遠にどっちのルールがより利益が上がる売買手法なのか、わからないでしょう。

　このように、**一口に押し目買いといってもさまざまなルールがあって、勝率や利益に差が出ます。**

FX本の「必勝法」が役に立たない理由

　さらに先ほどのルール①が成功したのは、たまたま僕が切り取った値動きの1場面だけの話です。

　図15の場合、25MAは右肩上がりで、陰線aでその25MAを割り込んで、次の陽線bがほぼ25MA近辺で終わったので、ルール該当と見なし、その終値で押し目買いしたとします。

　しかし、その後は大きな陰線2本が出て失敗に終わっています。

図15　押し目買いと売買ルールの検討・具体例②

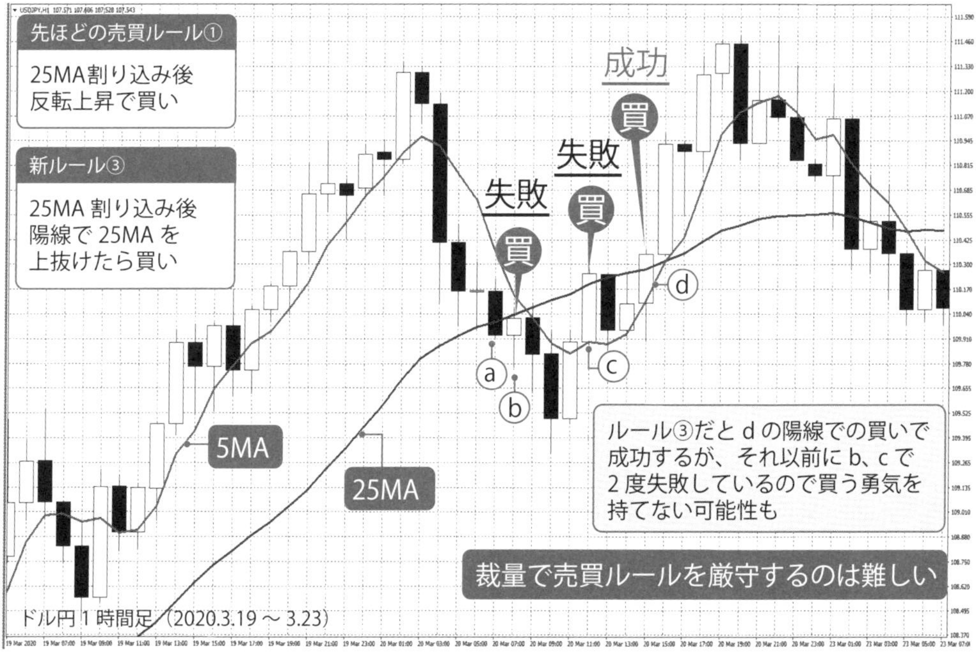

ドル円1時間足（2020.3.19〜3.23）

先ほどの売買ルール①
25MA割り込み後
反転上昇で買い

新ルール③
25MA割り込み後
陽線で25MAを
上抜けたら買い

成功

失敗

失敗

5MA

25MA

ルール③だとdの陽線での買いで
成功するが、それ以前にb、cで
2度失敗しているので買う勇気を
持てない可能性も

裁量で売買ルールを厳守するのは難しい

　そこで、ルール①をかなり拡大して、ローソク足が25MAを割り込んだ直後に陽線で切り返す必要はなく、**下落が一定期間続いたあと、再び陽線で右肩上がりの25MAを抜けたら買い、というルール③**に変更してみましょう。

　すると、陽線cはそのルールに当てはまるので買いですが、ここでも翌日、大陰線で再び25MAを割り込んだので失敗。

　しかし、その後、陽線dが25MAを再度、突破したときの終値でロングエントリーすれば、こちらはそのあと、陰線1本をはさんで大陽線が3本連発したので成功しています。

　しかし、陽線dの登場まで、陽線b、cで2回も失敗しているので、ルールにそれほど厳格ではない裁量トレードをしている場合、すでに2回の損切りでメンタルが折れて、陽線dで買えない可能性もあります。

　それに、この陽線dの出現がもし夜中の3時だったら、前回2回の失敗ですでにフテ寝しているはずなので、せっかくのチャンスを見逃してしまうことになるでしょう。

　FXの教科書に載っているような必勝法というのは、あとから振り返って**勝ちの場面だけを拾ってきて、「ほら、こんなに儲かりました」**というのが一般的です。

　でも、**いざ実戦で使うと、負けてしまう場面も多く、「本当にこの必勝法でいいのか？」**という疑問でメンタルに負荷がかかってしまい、なかなかルール通りの取引ができません。

　さらに、どんなに優秀なFXトレーダーにも睡眠が必要です。

　起きているときにたまたま売買ルールに適した値動きになって、たまたまリアルタイムにそのシグナルを目にしたときだけ売買するのでは、勝つか負けるかはもはや勝率や確率というより運の世界になってしまいます。運よく何度か勝ちが続いても、いつかは大きく負け越してしまうことにつながりかねません。

売買シグナルは曖昧。そのままでは使えない

　移動平均線ならまだ終値ベースで25MAのその時点の平均値を越えているか越えていないか、きちんと数値で判断できます。

　しかし、これが「トレンドラインのブレイクorタッチからの反転上昇」になると、トレンドラインをどこからどう引くかで、ほんとにブレイクorタッチしたのか、そこから戻したのかの判断基準は、その人のトレンドラインの引き方に左右された、とても曖昧なものになります。

「ボリンジャーバンドのバンドウォークで順張り」という手法なんかも、「バンドウォークってどこからどこまでのこと？」と考え出すとキリがありません。

　次ページ図16-aで、ローソク足が−1σと−2σの間で推移しているときを「バンドウォーク」と見なすと、−1σを上抜いて終わった陽線aで決済となり、その後の下落を取り逃がします。**「中央の移動平均線にタッチするまで決済しない」というルール**なら、陰線bまで、かなりの下落幅を利益にできましたが、こんなに長い間、利益確定の誘惑を抑えて売りポジションを継続できるかどうかはその人のメンタルにもよります。また、この例とは違って、バンドウォークが短期間で終わってしまった場合は利益の大半を取り逃がしてしまうでしょう。

「70以上で買われ過ぎ、30以下で売られ過ぎ」を示すRSIを逆張りではなく、トレンドフォローで使う場合、たとえば、図**16-bのようにRSIが50を割り込んだらショートエントリーして、RSIが30以下の売られ過ぎ圏で張りついている間は売り継続**というルールなんかが、よく紹介されます。

　じゃあ、利益確定するのはRSIが30にタッチしたAの地点なのか？　それとも、30を完全に越えたBまで引っ張るのか？

図16 バンドウォーク・RSIの曖昧さ・具体例

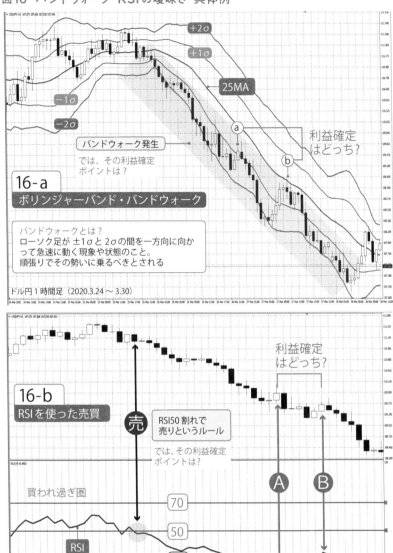

16-a
ボリンジャーバンド・バンドウォーク

+2σ
+1σ
25MA
−1σ
−2σ

ⓐ

ⓑ

利益確定
はどっち？

バンドウォーク発生

では、その利益確定
ポイントは？

バンドウォークとは？
ローソク足が ±1σ と 2σ の間を一方向に向か
って急速に動く現象や状態のこと。
順張りでその勢いに乗るべきとされる

ドル円 1 時間足（2020.3.24 〜 3.30）

16-b
RSIを使った売買

売

RSI50 割れで
売りというルール

では、その利益確定
ポイントは？

利益確定
はどっち？

Ⓐ

Ⓑ

買われ過ぎ圏

70

50

RSI

30

売られ過ぎ圏

ドル円 1 時間足（2020.3.25 〜 3.27）

　**利益確定のルール1つとっても実にさまざまで、どれが正しい
とはいえません。**テクニカル指標を扱ったFX本の多くは、こう
いう細かいルールには言及しませんし、どっちがいいのか、まっ
たく教えてくれません。

テクニカル指標の「曖昧さ」を克服する唯一の方法

　だからテクニカル指標はダメ、といっているわけではありませ
ん。僕たち個人投資家がファンダメンタルズの分析でプロの投資
家に勝てるはずがありませんし、資金量の面でも圧倒的に不利な
ので、プロが売買する「おこぼれ」を、テクニカル分析を使って
かすめ取っていく以外ありません。

　テクニカル分析は、僕ら個人投資家にとって唯一の武器です。

　でも、「時には当たり、時にはハズれる」、しかも「売買シグナ
ルをいつもナマで目撃できるわけじゃない」となると、テクニカ
ルを使った必勝法はかなり曖昧で取りこぼしも多く、結局、勘や
運や経験だけが頼りの出たとこ勝負になってしまいます。

　大学時代から「数値」にこだわりがあった僕は、裁量トレーダー
時代も当たり前のように、**「過去検証ソフト」**を使って、自分が
作った売買プランが「正しいのか、間違っているのか」、本格的
に検証していました。

　その際、重要なのが**「期待値」**や**「プロフィットファクター（PF）」**
など、そのトレードスタイルの優秀さを測る各種の指標です。

「エントリートリガーだけでなく、『こうなったら利益確定や損
切りを行う』というエグジットルールも決めた**売買プラン**」がで
きたら、その手法が過去の値動きに対してどれぐらいの**勝率**で、
利益：損失の比率（リスクリワード）はどれぐらいで、過去の値
動きで使った場合、どれぐらいの**「総利益÷総損失」（プロフィッ**

トファクター)になるかを数値化して、その優劣を確かめる。

　これこそ「損切り貧乏」「メンタルの泥沼」「テクニカルの曖昧さ」を克服して、**FXの技術を新たな次元に引き上げるためには必要不可欠な作業**だと思っていることは、冒頭の通りです。

過去検証ソフトの「指標」は何を意味するのか

「過去検証ソフト」を簡単に説明すると、過去の値動きデータを取り込んでくれて、チャート上のローソク足を1本1本表示していくことで、自分の売買ルール通りにエントリーした結果がどうなるかを教えてくれるソフトです。

「ここでエントリーしたい」というローソク足が出たら、指値もしくは成行注文を選んで**「Buy／Sell」ボタンを押してエント**リー。

　その際、損切り＆利益確定のレートを設定することも可能です。

　そして、ローソク足を1本1本表示して、自分の設定したエグジット基準に引っかかったら、手動、もしくは事前に入れた指値レートで自動的にポジションが決済され、トレードの結果が表示されます。自分の売買プラン通りのトレードを何度も続けると、模擬トレードをした期間の、

●勝率（利益が出たトレード÷損失が出たトレード）
●ロングとショートの個別勝率
●リスクリワード（勝ったときの平均利益と負けたときの平均損失の比率）
●プロフィットファクター（トレード全体の総利益が総損失の何倍か）
●獲得・逸失pips（勝ち／負けの各トレードの総計pips数や総額）
●平均獲得・逸失pips（1取引あたりの平均利益・損失）
●最大ドローダウン（最も大きく負けたときの損失pips、資産に対する％）

　といった成績が詳細なレポートになって自動表示されます。

　FXの手法に関しては、「勝率重視でこつこつ勝ちを積み上げるか」、それとも「こまめに損切りして負けは小さく収め、ドカンと一発、大きく儲けるチャンスを狙うか＝リスクリワード重視か」という議論がよく行われています。

　「**勝率**」は文字通り、利益が出たトレードが全体のトレードの何％かを示したもの。勝率が65％の場合、「**敗率**」というか「**負率**」というか、負けで終わったトレードの比率は「100－勝率＝35％」になります。

　いかに勝率が高くても、1回の負けで大きな損失を喫していては勝てるものも勝てない。

　そこで重要になるのが「**リスクリワード**」です。こちらは「**買ったときの平均利益÷負けたときの平均損失**」で計算します。

　勝ったときの平均利益は「獲得した利益の総額÷勝ちトレードの回数」、負けたときの平均損失は「こうむった損失の総額÷負けトレードの回数」で算出します。

　リスクリワードのいい取引というのは、要するに「平均してガッツリ儲けて、コツコツ損する」トレードスタイルになります。

　それだけを見れば、リスクリワードの高い手法はとても優秀に思えますが、あくまで勝ちと負けの「平均値」を比べているだけで、勝った回数、負けた回数がまったく考慮されていません。

　つまり、1回しか勝てていなくても、その1回でドカンと大きく稼いでいたら、あとの99回、コツコツ負け続けていて、**結果的に大損していても、リスクリワードはよくなってしまうのです。**

　それじゃあ、継続して利益を上げられる取引かどうかわからない、やっぱり勝率が大切だ、ということで、「勝率か、リスクリワードか」という論争が巻き起こるというわけです。

　トレード手法の本当の意味での優秀さを測る指標として重要なのが、「プロフィットファクター（ＰＦ）」と「期待値」です。

PFと期待値で、トレード手法をトータル評価

「PF」の計算式はいたって簡単で、「総利益÷総損失」。

　つまり、トレードを行った中で積み上げた総利益が、失った総損失の何倍かを示したものです。

「ぶっちゃけた話、その手法って儲かるの、儲かんないの？」

　これを示したのがＰＦになります。

　まがりなりにも「FXで勝てている」というステイタスを勝ち取るためには、PFが１倍を超えていないと話になりません。

　いや、１だとプラスマイナスゼロなので、1.2〜1.4ぐらい、つまり、取引を続けることで２割〜４割ぐらいの利益が出ていないと「優秀な手法」とはいえないでしょう。

　またPFは、トレードした回数が多ければ多いほど、あるいは取引した期間が長ければ長いほど、たくさんのトレードをさまざまな相場展開の中で行った結果としてのトータルの成績と見なせるので、より確かで信頼できるものになります。

　PFの計算式は「総利益÷総損失」といいましたが、先ほどの勝率とリスクリワードを使った別の計算法でも算出できます。

　それが「（勝率×勝ったときの平均利益額）÷（敗率×負けたときの平均損失額）」。

　たとえば、勝率が6割で、リスクリワードが10：8のトレード成績なら、PFは「（0.6×10）÷（0.4×8）＝1.875」になります。

　この式を展開すると「PF＝勝率×リスクリワード比率÷（1

－勝率)」となります。

結局、勝率とリスクリワード比率の掛け算を敗率で割ったものがPFですから、単純に考えると、計算式に掛け算と割り算で2度絡んでくる**勝率のほうがどちらかというと重要**ということになるのかもしれません。

冒頭で見た「期待値」は、このPFを金額ベースに落とし込んだものといえます。

その計算式は「最終的な利益÷トレード回数」。つまり、「いっぱい取引して勝ったり負けたりしたけど、その結果、1回あたりどれぐらい勝てたの？(＝どれぐらいの利益を今後、1回あたりのトレードで期待できるの？)」を示したものです。

この「期待値」にも勝率とリスクリワードが絡んでいて、期待値は「**平均利益額×勝率－平均損失額×敗率**」でも計算できます。

トレーダーにはびこる「時給換算症候群」

YouTubeの中で僕は「時給1万円ってドヤっている人、だいたい日給も1万円」っていったりしていますが、人気商品のセドリなんかで稼いでいる人と話をすると、「たった15分の実働で古本屋で買った希少本がヤフオクで2500円も高く売れたよ、これって時給換算すると1万円。すごいでしょ！」なんて自慢話を聞かされます。

FXトレードでもそれは同じで、たった15分間で2万5000円の利益を出したから、時給換算すると10万円、日給換算すると240万円も稼げる「すごい技法です!」なんていう、ほぼ詐欺といっていい商材が売られていたりします。

15分で2500円とか2万5000円とかを稼げたとしても、次の15分もそれと同じ金額、稼げるかどうかなんてわからないです

よね。

　ただの「取らぬ狸の皮算用」でしかないのですが、ネットや質の悪い商材などの世界では、この「時給換算文化」がはびこっています。

　そんな数字にダマされて、「このFXの必勝法って儲かるんだ」と高額のお金を払って商材を買ってしまうような人には、ぜひ「PF」や「期待値」という考え方に目覚めてほしいです。

　FXの取引は、200万円儲かったと思ったら、逆に200万円の大損トレードの痛撃を受けたり、**本当にいろいろあって、最後に残った利益でようやく、優秀かそうでないかを判断する**もの。

　その最終利益をトレード回数で割った金額が「**これからも稼げるかもしれないと期待していい**」期待値になります。

　もし専業トレーダーになって長く太く取引を続けたいなら、当然、期待値をどんどん上げるような努力を積まないといけません。

　たった1回の劇的に成功したトレードに酔って、「時給換算すると100万円だ」とか、「年収換算すると1億円だ」とか「妄想」するのは、無意味なだけでなく、今後のトレードにとっても有害かつ危険なので注意してください。

「最大ドローダウン」はリスクを測る指標

　最後に「**最大ドローダウン**」という指標も結構、大切なので解説しておきましょう。

　こちらは、トレードを何度も行ってきた中で、最も大きかった1取引の損失がそのときの総資産に占める割合をパーセンテージで示したものです。過去検証ソフトでは最大損失の金額としても表示されます。

　PFや期待値がどれだけ優秀なトレード手法でも最大ドローダ

ウンが大きいと、１回の取引で壊滅的に負けてしまって、証拠金不足になるとか、挽回不可能なほど資産が大きく目減りしてしまう可能性もあります。

　たとえば、損切りは一切せず、利益が出るまでずっと取引を続けた場合、勝率は100％になります。その間、ドカンと損しないで済ますことができれば、PFも高くなり、一見、優秀なトレード手法のように見せることができます。

　しかし、相場が急変動して予想と反対方向に大きな動きが出た場合、損切りしないと壊滅的な損失をこうむることになってしまいます。いわゆる「コツコツ儲けてドカンと損する」です。

　いくら勝率が高くても、１回の損失で資産が大きく目減りしてしまうと、そこから挽回するのは、元手が小さくなるので％で考えるとかなり至難のワザになります。

　取引の手法が「**資産管理**」の面からも**優秀**かどうかを測る指標、それが「**最大ドローダウン（%)**」になります。

過去検証ソフトを使わないプロトレーダーは、いない

　システムでも裁量でも、ただなんとなく勘や運や経験や直感を頼りにトレードしていたら、必ずどこかで破綻するもの。

　過去検証ソフトを使って、自分自身の手法が過去の相場展開で果たして通用したのか、きちんと確かめたうえでトレードするのはもはや、専業トレーダーの常識です。

　もし、まだ過去検証なんてしたことない、という人はぜひ、これを機会に目覚めてほしいと思います。それが、運と勘だけが頼りのFXド素人を卒業する一番の近道だと思います。

　裁量トレーダーの方が手動で過去検証できるソフトとして僕が一番、オススメしたいのは「**フォレックステスター（FT4)**」と

いうソフトです。MT4のインジケーターやEAをFT4向けにデータ変換して自由自在にバックテストできます。1か月分のデータ検証は無料で行えます。僕は料金を支払って、全機能が使える有料版を使っています。

過去検証は最低でも7年やらないと意味なし、というのが僕の持論ですので、ぜひお金を払って有料で使ってほしいソフトです。

ただし、初心者で「有料ソフトはハードルが高い」という人には「トレードインターセプター」（最近の名称は「シンク・トレーダーThink Trader」）という無料ソフトもあります。

移動平均線の期間設定など、パラメータを変えるとどうなるかなども、チャートを早送りしてバックテストできます。ただし、英語版しかありません。

手動操作はできないですが、MT4にも「ストラテジーテスター」という検証ソフトが標準装備されています。MT4のツールバーにある「表示」タブの中の「ストラテジーテスター」をクリックすると起動。ネットからダウンロードしたEAがどれぐらい優秀かを検証できます。

「シンク・トレーダー」で「25時間線トレード」を検証

本書はFXソフトの使い方を解説するのが主旨ではありません。紹介したソフトのインストールの方法や使い方はネットにもたくさん紹介記事があるので、それを参考にしてください。

ただし、唯一、初心者の方にもぜひ使ってほしい無料ソフトの「シンク・トレーダー」だけはダウンロード法やチャートツールのいじり方、模擬トレードの進め方などをP90～95の6ページにわたって、かなり詳細にまとめてご紹介しておきます。

「シンク・トレーダー」を一言でいうと「ローソク足めくり」。

　同社のホームページに登録するだけで、無料で利用でき、通貨ペアと期間を指定すると、各時間足で限度はあるものの、かなり**長期間のヒストリカルデータをダウンロード**できます。

　指定した通貨ペアの指定した期間のチャートを**1時間足から月足まで表示**してくれ、テクニカル指標の表示も自由自在です。

　チャート下の真ん中にある「**▶︎（プレイ）」ボタンをクリックすると、指定した期間の最初から1本1本ローソク足が表示**されていきます。

　自分なりに「移動平均線のゴールデンクロスで買い」とか、「直近安値突破で売り」とか売買ルールを決めてエントリー。

　エントリーの方法は**指値注文にも成行注文にも対応**。エントリーの際に決済の指値・逆指値注文を入れておくこともできます。

　注文し終わったら、ローソク足を1本1本進めていきます。

　エントリーのときになんとなく決めていた決済ポイントにローソク足が到達したり、新規注文時に決めた損切りや利益確定のpips数・レートに達して決済されると、その**売買履歴がどんどん記録され、蓄積**されていきます。

　勝っても負けても、自分の売買プランにはどんな長所や短所があるか、どういう状況になるとエントリーできて、利益確定や損切りにつながるかを、まるで実戦トレードをしている感覚で楽しめるのが大きな魅力です。

　当然、指定した期間でのローソク足めくりが終わったら「トレーディング・レポート」を出力することで、その売買プランの「期待値」や「勝ち負けの最大pips、最大値幅」「リスクリワード比率」などの成績を一覧表にして表示してくれます。

裁量トレーダーに絶対オススメの 過去検証ツール「Think Trader」 のダウンロード＆使用法ガイド

(トレードインターセプター社)

1.「Think Trader」をダウンロードする

1「Think Markets」
（https://www.thinkmarkets.com/en/trading-platforms/trade-interceptor/）にアクセスして、画面下の「Think Trader Desktop」をクリックするとダウンロード画面（右図）が現れる

2 ダウンロードボタンをクリックすると「インストール」画面に

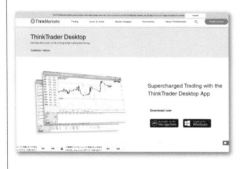

3 ファイルをダウンロードして「実行」をクリックするとインストール開始

4 インストールが完了するとメールアドレス、パスワード、FX の経験値の入力画面に。
各項目に入力した上で「Submit」をクリックする

模擬トレードのときは、ここをクリックするのを忘れない！

5 ④で入力したメルアド、パスワードが打ち込まれた「ログイン画面」が登場する。模擬トレードのときは上部タブの「Traders Gym」をクリックしたうえでログインする

2. 「Think Trader」画面をカスタマイズ

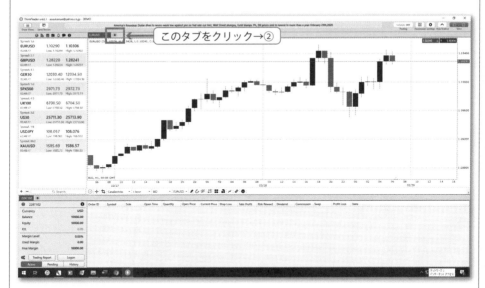

① 1-⑤で「Login」ボタンをクリックすると上段にチャート、下段に模擬トレード画面（最初は空白）が表示されたメイン画面が現れる。チャート画面左上の「+」ボタンをクリックすると「Simulated Trading Configuration（模擬トレードの構成）」ウィンドウが立ち上がる

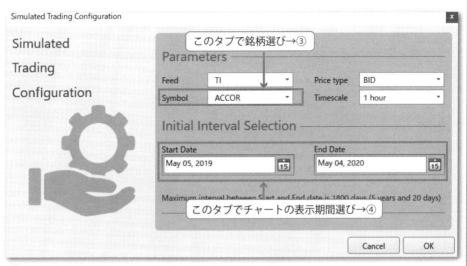

② 立ち上がった「Simulated Trading Configuration（模擬トレードの構成）」ウィンドウ内の「Symbol」で取引する通貨ペア（選択肢には株の銘柄もあるので注意）、「Timescale」でローソク足の時間軸を選び、「Start Date」「End Date」で模擬トレードする期間を設定する

③ 銘柄には株式なども含まれており、アルファベット順に並んでいる。ドル円なら「USDJPY」を選ぶ

ドル円はコレ

④ 模擬トレード期間はカレンダー表示から「Start Date」「End Date」を設定する

⑤ 文字の表示／非表示は画面左上「Visible」をクリック

インディケーターボタンはココ

⑥ チャート画面の下にある「Indicators」→「Add Indicator」をクリックしていくとテクニカル指標の一覧が表示される。選択して「Add」をクリックするとチャート画面上に表示される

⑦ チャート画面の左上にある「settings」ボタンをクリックすると表示させるインジケーターの色や線の太さをカスタマイズできる

3. 模擬トレードを始めよう！

① メイン画面の下段の「Add Trading Account」ボタンをクリックすると②の「Create Account」画面が立ち上がる

No registered trading accounts

Add Trading Account

② 「Create Account」画面で、模擬トレードの名称や証拠金の額、通貨の種類、レバレッジ倍率などを設定して「Create」ボタンをクリックする

Create Account	— □ ×
Name	
Initial funds	10000 ⊗
Currency	USD ▾
Leverage	1:50 ▾

Cancel　Create

5SMAenter	
Currency	USD
Balance	10000.00
Equity	10000.00
P/L	0.00
Margin Level	100.00%
Used Margin	0.00
Free Margin	10000.00

Trading Report　Logoff

Active　Pending　History

③ 下段左側に、開設した模擬トレードの口座情報が表示される

プレイボタン

③がココに表示されている

④ 模擬トレードの初期画面がこれ。チャート画面の下にある「プレイボタン」を押すとローソク足が1本1本表示されていく

⑤ 右の「▶▶｜」ボタンを押すとローソク足が1本1本表示される。「▶」ボタンを押すと自動再生される

⑥ 取引したい場面になったら、チャート右上の「Sell/Buy」ボタンをクリック。すると取引条件を設定する⑦の画面が立ち上がる

売買ボタン

プレイボタン

⑦ 成行（Instant Execution）か指値（Pending Order）か、損切り（Stop Loss）、利確（Take Profit）のレート値などを入力して執行（Place Order）ボタンを押すと発注される

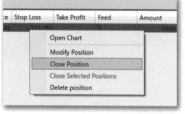

⑧ 注文が約定すると下段に表示される。表示されたポジションにカーソルをあてて右クリックすると⑧の画面が表示される。決済する場合は「Close Position」を選択する

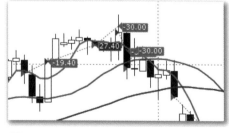

⑨ どこでエントリーして、どこでエグジットして、獲得／逸失 pips がいくらかはチャート画面上にも表示される。あとで自動再生して売買ポイントの確認もできる

4. 模擬トレードの実績結果を表示する

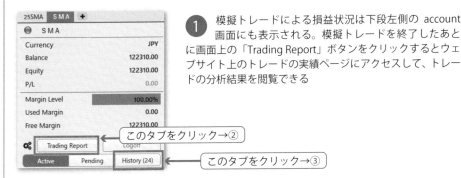

1 模擬トレードによる損益状況は下段左側の account 画面にも表示される。模擬トレードを終了したあとに画面上の「Trading Report」ボタンをクリックするとウェブサイト上のトレードの実績ページにアクセスして、トレードの分析結果を閲覧できる

2 上段にはロングとショート別や全体の勝率や獲得／逸失 pips などが表示され、下段の「Summary」にプロフィットファクター、損益比率（P/L%）、最大ドローダウンなどが表示される

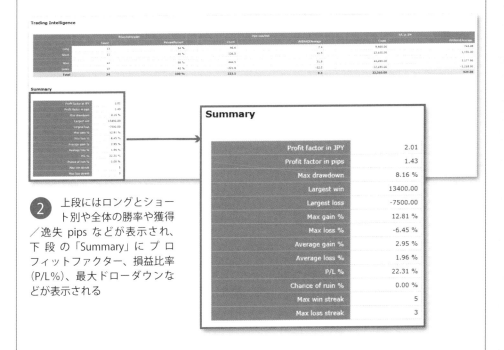

3 「History」ボタンをクリックすると、模擬トレードの全取引の詳細データが一覧形式で表示される

シンク・トレーダーを使って模擬売買に挑戦しよう

　本書では「シンク・トレーダー」で、ドル円1時間足で25時間移動平均線（25MA）を使った押し目買い・戻り売りトレードの実績を検証してみました。

　図17で示したように、ロングのときの売買ルールは、

- 25MAが右肩上がりで推移しているときに、ローソク足が25MAを割り込んだものの、いまだ右肩上がり（水平に近い場合も可）の25MAを再度、上に抜けたら買い。
- その後、前のローソク足の始値を次のローソク足の終値が下回ったり、ローソク足の終値が25MAを下回ったら利益確定（もしくは損切り）。

図17　25MAを使った押し目買い・戻り売りの売買ルール

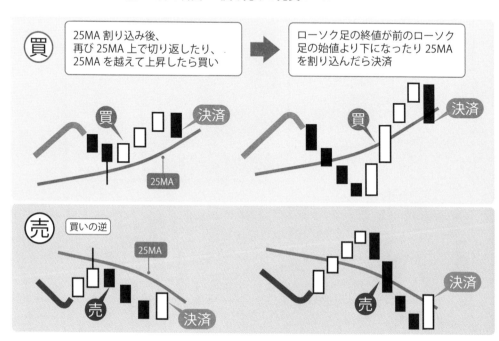

　ショートのときの売買ルールはその反対で、

●右肩下がりの25MAに、上昇したローソク足がいったん突破し
　たものの、その後、右肩下がり（水平に近い場合も可）の25MA
　を再度、下に抜けたら売り、
●前のローソク足の始値を次のローソク足の終値が上回ったり、
　ローソク足の終値が25MAを上回ったら決済、

となります。このルールで売買するとどうなるか？
　為替レートが大きく乱高下した2020年3月19日から4月19日
までのドル円1時間足で過去検証を行いました。
　過去検証というと、チャートを早送りしてEAを走らせ、エン
トリー・決済ポイントを秒速で表示させて「はい、終わり」とい
う全自動のイメージがあります。
　これだと早いのですが、システムがある程度、わかっている人
しか使いこなせません。
　一方、「シンク・トレーダー」の場合は、手動で1本1本ロー
ソク足めくりができ、「この場面は買いだな」とか自分自身でい
ちいち吟味したうえで模擬トレードができます。ローソク足を
次々と表示させていけば、自分が行ったトレードの「当たり・ハ
ズレ」も手動で確かめることができるので、**裁量トレーダーでソ
フト音痴な人でも十分に活用**できます。
　いや、裁量トレーダーの人にこそ、ぜひやってもらいたい。
　僕はそう強く思っています。
「損切り貧乏」「メンタルに振り回される」「勘と運頼みのテクニ
カル分析」というFXトレーダーが今ひとつ、FXで稼げない三悪
を克服するためには、大きな文字で書きますが、

「期待値に目覚める」

以外ありません。過去検証ソフトを使えば、勘と運と気分と経験だけに頼ってトレードしてきた自分の手法にどんな長所・欠点があり改善すべき点はどこにあるのかが、ローソク足をめくるごとに実感できると思います。

それでは「25MA割り込みでトレンド方向に押し目買い・戻り売り」の過去検証を詳細に見ていくことにしましょう。

「25時間線トレード」で見えてきたもの

まず期間中（20年3月19日～4月19日）のドル円1時間足チャートと25時間SMAの全体像は図18になります。コロナショックで金融市場の乱高下がマックスになったあと、次第に

図18　過去検証した期間中のドル円1時間足の値動き

値動きが落ち着きを取り戻した時期です。この間、ドル円は107円台から111円台まで急上昇したあと、再び107円台まで急落し、その後は107円と109円の間で値が動いています。

　過去検証を始めた3月19日から3月20日までは107円台から111円台まで1日で4円以上の急騰が続いたので、ローソク足が25MAまで下りてくることはなく、エントリーチャンスはありませんでした。

　初めてのエントリーは111円台の高値をつけたあと109円台の後半まで下落する局面で行いました。次ページ図19に示したように、陰線aで25MAを割り込み、次の陽線bが25MA上にちょんと触れる形になりました。「勢いはそんなに強くないな」と思いながらロングエントリーしましたが、その実感通り、次のローソク足cは陰線で完全に25MAを割り込み、損切りとなりました。

　そのあと、2回、陽線d、eが右肩上がりの25MAを上抜ける局面があり、ロングエントリー。陽線dのエントリーはその直後に陰線が出て、また損切りになりました。しかし、2度目の陽線eのエントリーでは、そのあと陽線が連発し58pipsもの利益を得ることができました。

　次ページ図20に示したように、その後も右肩上がりの25MAの下にローソク足がもぐったり、下ヒゲが割り込んだあとに出た陽線の終値でロングして2度成功。

　25MAの傾きが横ばいに近い状況でしたが、上昇がピークに達したあたりで、25MAを陰線aで割り込み陽線bで切り返し、再び陰線cで割り込んだところでショートエントリーしました。

　これが上昇トレンドから下降トレンドへ転換する初動をとらえた大ヒットになり、ショートで134pipsを獲得できました。

　このショートの最中に出た小陽線dの終値は非常に小幅ですが、前のローソク足（陰線）の始値を上回っているのでルール上では

図19 「シンク・トレーダー」を使った手動模擬トレード①

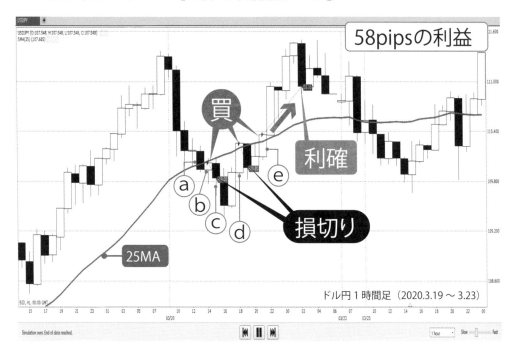

ドル円 1 時間足（2020.3.19 〜 3.23）

図20 「シンク・トレーダー」を使った手動模擬トレード②

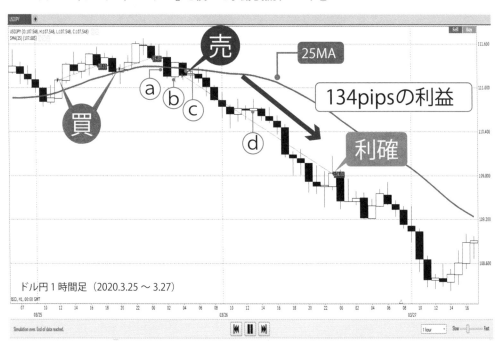

ドル円 1 時間足（2020.3.25 〜 3.27）

決済でした。しかし、下落トレンド入りの初動段階にこの陽線で利確するのはもったいないと判断してホールド。結果的にその判断が正しく、ほぼ20時間にわたる下落を利益にできました。

　模擬トレードのいいところは「▶」(プレイボタン)を押さない限り、次のローソク足が表示されないので、**実戦とほぼ同じ感覚で「次、どうなるか」「エントリーすべきか、やめるべきか」、自分で判断できること。「▶」を押してローソク足を先に進めることで、その判断が正しかったのか間違っていたのかがわかると同時に損益の記録も残ること**です。

　すでにできあがったチャートを見て、「ここで買ってここで売れば、ほら儲かった」という後出しじゃんけんではないので、

- 自分の売買ルールがどんな場面に強い／弱いか？
- 自分の売買ルールがフィットする値動き、売買ルールに適合せず取り逃がしてしまう値動きはどんなものか？
- 本来のルールでは利益確定（もしくは損切り）すべきところだが、違った判断を下した場合、どういう結果になるか？

といったことが、実戦感覚で非常にクリアにわかる点です。

　この「25MA戦略」の場合、押し目や戻りを狙うので強いトレンドが続いている間は、なかなかローソク足が25MAまで下りてこないので売買チャンスが少ないこと。早めにルールに則って利益確定したあと、そこからさらにトレンドが加速して置いてけぼりを食らうケースも多かったこと。

　また、ローソク足が25MAに割り込んだ場面というのは、トレンドが失速中なので、そのまま25MAをはさんだもみ合いに転じて、小幅の利確や損切りで終わるケースも多いこと。

102

とはいえ、「25MAが横ばい」という状況の中には、トレンドがまさに転換しようとしている場面も含まれているので、25MAが横ばいすれすれのところでエントリーすると、先ほどの図20のショートエントリーのように大きな利益を得られること。

逆に、25MAにかなり強い傾きがあるときは、失敗に終わることもありますが、懲りずに何度もトライしていると、いつかはトレンド方向に回帰して、そこそこ稼げる安心感があること…などを実戦さながらに、細部のニュアンスまでリアルに感じながら検証することができます。1か月のトレードの成績は、図21です（シンク・トレードのProfit factor in pipsは、リスクリワード比率と同義）。**エントリー回数は24回（ロング13回、ショート11回）で14勝10敗。勝率は58%。**

総利益は444.9pips（平均31.8pips）で総損失は221.8pips（平均22.2pips）。**リスクリワード（平均利益／平均損失）は1.43。**

図21 「25MA戦略」の成績はなかなか優秀だった

	取引回数	率	獲得pips	平均獲得pips
勝ち	14	勝率↓ 58%	444.9 pips	31.8 pips
負け	10	42%	-221.8 pips	-22.2 pips
合計	24	100%	223.1 pips	9.3 pips

Profit factor in JPY 期待値	→ 2.01
Profit factor リスクリワード比率	→ 1.43
Max d 最大ドローダウン	→ 8.16 %
Largest win	13400.00
Largest loss	-7500.00
Max gain %	12.81 %
Max loss %	-6.45 %
Average gain %	2.95 %
Average loss %	1.96 %
P/L %	22.31 %
Chance of ruin %	0.00 %
Max win streak	5
Max loss streak	3

プロフィットファクター（総利益÷総損失）は2.01。

かなりの好成績を得られる手法だということがわかりました。

ただし、トレードした期間は、コロナショックが続いてドル円が激しく上下動していた時期です。トレンドがはっきり出やすい時期だから、これだけの成績をおさめることができた、ともいえます。トレンドレスな相場だと、押し目・戻りの勢いが弱くて失敗トレードが増える可能性もあるので、最低でも5年の過去検証が必要でしょう。

もしシステムトレーダーを目指すなら、ヒストリカルデータ7年以上かつ500エントリーの過去検証をお勧めしています。

過去検証ではダメなトレードルールの確認もできる

利益を出すという意味では、過去検証ソフトを使った模擬トレードで、**利益確定や損切りルールが値動きにフィットしているかどうかを確かめることも大切**です。

この模擬トレードでは当初、損切りルールを「買いの場合、買ったあと陰線が出たら即、決済」「売りの場合、売ったあと陽線が出たら即、決済」というルールにしていました。

しかし、そのルールだとすぐに損切りになるケースが多く、その後のトレンド加速の大部分を取り逃がす結果に終わってしまうことがわかりました。

そこで、**「前の足の始値を次の足の終値が越えたときに初めて決済する」というルールに変更**。微妙なケースは、トレンドがまだ続きそうならホールドと判断したことで、PF2.01という好成績を残すことができました。

もし、それぞれのルールをいきなり実戦で試していたら、ダメなルールのときには実損をこうむることになります。

　過去検証の利点はなにも「優れたトレードルールを探す」ことだけではありません。頭の中ではこのルールで行けそうだな、と思っていても、実戦では使いモノにならないエントリールール、もしくは損切り貧乏になったり、薄利撤退で終わってしまうようなエグジットルールを事前に排除できれば、実戦ではムダな鉄砲を撃たなくて済みます。

　これもまた過去検証を行う利点といっていいでしょう。

　実戦を経験できる期間というのは、トレーダーが生まれて初めてFXのトレードをしてから今までしかありません。

　過去検証ソフトで模擬トレードする癖をつければ、身銭を一切切ることなく、貴重な時間を浪費することなく、自分の手法に対する貴重な経験や気づき、発見をそれこそ何年分、何十年分も得ることができます。

「過去検証ソフトは専業トレーダー養成ギプス」

　大文字で強調しておきたいところです。

　何度もいいますが、テクニカル分析を使ったトレードで飯を食っている人で、過去検証ソフトを使ったことがない、という人を僕は見たことがありません。

　裁量トレーダーの方もぜひ、この「シンク・トレーダー」や、有料になりますが日本語版もある「フォレックステスター」を使ってください。そして「これぞ、自分の手法」という売買手法で、数年分ひたすら模擬トレードした結果、いったいどれぐらい利益を残せるか、ぜひ検証してください。

　プログラムを書けるようになると、早回しして自分のトレードルールが過去のチャートでどれぐらい利益を上げられるか、**たった数分で、5年分10年分のデータをとる**ことができます。

　昔は何事も「長年の経験が必要」なんていわれていたようですが、今はそんな時代じゃありませんよね。

資産大躍進・2016年裁量トレーダーの僕

　2013年末に会社を辞めたあと、まだ裁量トレーダーだった僕は、今、紹介した過去検証ソフトを使って、「期待値の高いトレードプランはどんなものか？」、試行錯誤を繰り返しました。

　とにかく、お金儲けしたいのはやまやまですが、それ以上に自分のトレードをレベルアップしたい、という想いで、過去検証を徹底的に行って、自分の手法を磨き上げていきました。

　その努力が実を結んだのが2016年です。

　この年、裁量トレーダーとしての僕は年間利益2446万9291円という過去最高記録を叩き出すことに成功しました。

　2016年がどういう年だったかというと、年初に原油価格が暴落。1月末に日銀黒田総裁が導入したマイナス金利が嫌気されて逆に円高が進み、2月には北朝鮮がミサイルをぶっ放して、ドル円はついに6月以降の安値をつけました。

　その後、6月には英国の国民投票があって、EU離脱（ブレグジット）が決定し、大パニックに。9月まではかなり強烈な円高トレンドが続いていましたが、11月の米国大統領選挙で意外にもトランプ氏が当選して爆上げ。1ドル118円の年末高で1年を終えた年になります。

　前半から中盤にかけては円高、後半は急速な円安と、ものすごくシンプルで強いトレンドが交互に出た年でした。

　そのトレンドに乗って、僕は主にドル円、ポンド円の取引を続け、結局、マイナスで終わった月が1か月もない、という最良の年になりました。ちょうど子供が生まれて、精神的にも頑張んなきゃ、と努力しまくったこともよかったのかもしれません。

一目均衡表の雲とラインブレイクで戻り売り狙い

　当時の裁量トレードの手法をざっくりご紹介すると、**1時間足、4時間足チャートに一目均衡表の雲を表示させて、大局的なトレンドを判断する環境認識に使っていました。**

　すでに当時の短時間チャートはキャプチャーできないので、最近のドル円の値動きでその手法を紹介しますね。

　図22は4時間足チャートのドル円に、一目均衡表の雲を表示させたものです。

　一目均衡表は、ある期間の高値と安値の中間値を重視しています。いわば、その期間に行われた取引の平均値的な意味合いで「高値と安値の中間値」を計算し、トレンド判断や抵抗帯・支持帯として活用しています。それが「**転換線**」と「**基準線**」。

図22　ドル円4時間足と一目均衡表の雲

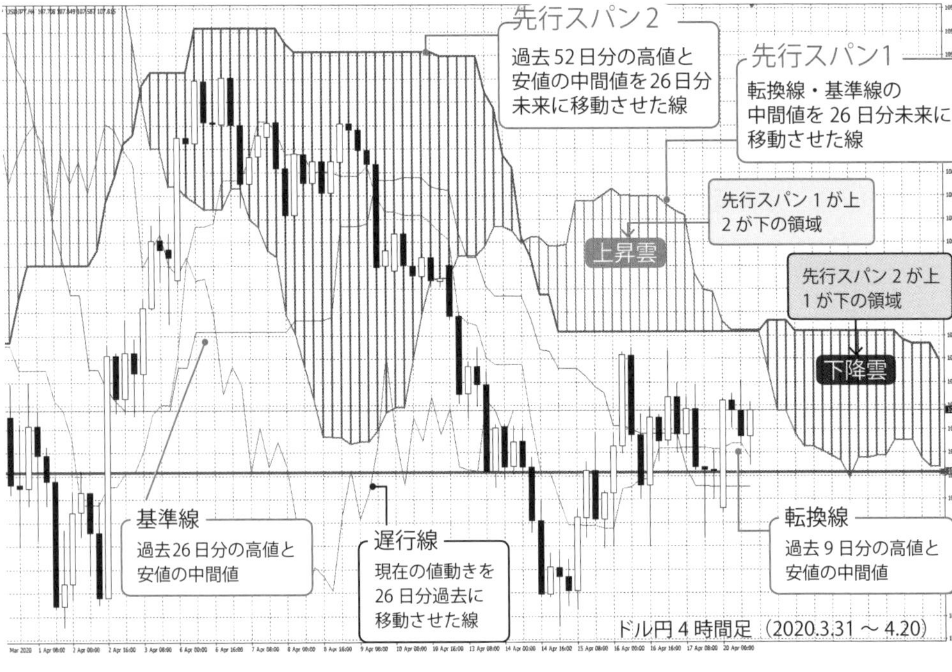

先行スパン2
過去52日分の高値と安値の中間値を26日分未来に移動させた線

先行スパン1
転換線・基準線の中間値を26日分未来に移動させた線

先行スパン1が上2が下の領域

先行スパン2が上1が下の領域

上昇雲

下降雲

基準線
過去26日分の高値と安値の中間値

遅行線
現在の値動きを26日分過去に移動させた線

転換線
過去9日分の高値と安値の中間値

ドル円4時間足（2020.3.31～4.20）

●**転換線**＝期間9の高値と安値の中間値
●**基準線**＝期間26の高値と安値の中間値

　日本生まれのテクニカルである一目均衡表が「すごい」ところは、そうした中間値を過去や未来にずらすことで、**過去の取引が現在に与える時間的な影響から、今後の値動きの行方を予想**しようとする点です。

　中でも、「雲」はトレンド判断だけでなく、「未来に控える雲が為替レートの抵抗帯や支持帯になる」といった値動きのガイダンス役としても使えます。その算出法は、

●**先行スパン1**＝転換線と基準線の中間値を期間26日分、未来に
　　　　　　　　ずらしたもの
●**先行スパン2**＝期間52日分の高値と安値の中間値を期間26日分、
　　　　　　　　未来にずらしたもの

となり、先行スパン1、2に囲まれた領域が「雲」になります。**先行スパン1は短期・中期的な取引の中心ゾーン、スパン2は長期的な取引の中心ゾーンといえる**ので、その間に挟まれた領域というのは、現在から期間52日分さかのぼった過去から最近まで、投資家が激しく取引した売買の中心ゾーンになります。

　その中心ゾーンを期間26日分、未来に移動させることで、**現在の取引の中心領域が未来の値動きにどんな形で影響を与えるかを「面」の形で示したのが一目の雲**というわけです。

　雲の中でも先行スパン1が上、スパン2が下にあって、短期・中期の勢いが長期よりも強いのが「**上昇雲**」、スパン2が上で1が下にあって短期・中期の値動きが長期より弱いのが「**下降雲**」になります。

　僕はこの「雲」を環境認識に使って、1時間足、4時間足に表示した**雲より為替レートが上にあれば上昇トレンド、下にあれば下降トレンドと判断**。より短い5分足、15分足でそのトレンドに逆らう動きが出たあと、再び1時間足、4時間足のトレンド方向に値動きが回帰する**「押し目」や「戻り」を狙ってエントリー**していました。

　図23はドル円の4時間足と15分足です。4時間足チャートのAのポイントでドル円が下降雲の下限を割り込んだところで**下降トレンドに転換**と判断。いったんもみ合いに転じたBのゾーンで、**再度、そのもみ合いの下限（ライン①）を抜けるような動きが出ないかを15分足でチェック**します。

　4時間足の破線で囲んだ部分の値動きを示したのが下の15分足チャートですが、ライン①を何度か割り込むような動きが出ています。Aのポイントのラインブレイクは失敗に終わって、ドル円はいったん下降雲の中まで上昇したあと、下落に転じます。

　そして、4時間足のもみ合い**下限ライン①を再度割り込んだBのポイントで売りを入れる**――。

　非常に単純化すると、それが当時の僕の裁量トレードの手法でした。

　いったん上昇に転じたあと、15分足上の過去の安値や持ち合い下限にはじき返されるCやDのポイントも追加で戻り売りするチャンスになります。

　ほかにも、エントリーポイント探しにフィボナッチリトレースメントを使って、0.618とか0.328のライン上で出た**ローソク足の形状（プライスアクション）**で、実際にエントリーするかどうかを決めたりすることもありました。

　為替レートの押し目からの反転上昇、戻りからの反転下落を確かめるために、**MACDのダイバージェンス**を使ったりもしてい

図23　一目均衡表で環境認識＆ラインブレイク狙い戦略

4 時間足で環境認識（トレンド確認）

15 分足のラインブレイクで取引

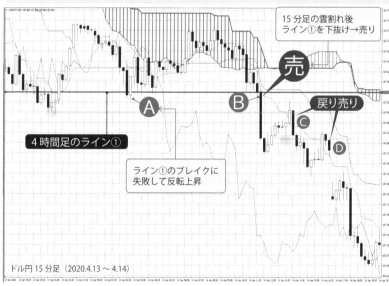

ました。

　FXにあまりに没頭しすぎると、たまの休みに家族と温泉に出かけたりしたとき、露天風呂から見える山の風景が為替レートの値動きと一目均衡表の雲なんかに見えてしまうことがあります。「あっ、今、為替レート（＝山の稜線）が雲の中に入ったから売らなきゃ」と無意識のうちに考えていたり…。

　四六時中、ローソク足チャートを見ていると、温度計や体温計の目盛りとか、自転車のペダルとか、一方通行の標識とか、長くて四角いモノがなんでもローソク足に見えてしまうぐらい、頭の中がチャートでいっぱいになったりします。

　専業トレーダーの人と話していると「オレもよく、そんなふうになる」と話が合ったりします。これは一種の「FXトレーダーあるある」かもしれません。

　裁量トレーダーとして全身全霊、パソコン画面上の為替相場に食らいついて、必死にトレードした時期は、特に、頭の中もFXという文字で溢れ返っていました。

裁量トレードの限界が浮き彫りになる

　裁量トレーダーとして日々、モニタと睨めっこして、年間2000万円の利益を上げることができるようになった頃、子供が生まれました。

　今でもそうですが、子供は父親が100万通貨のポジションを持って、手に汗握る展開であろうが、保有しているポジションの損失幅がどんどん拡大して冷や汗たらたらであろうが、容赦ありません。

　僕のトレードルームに入ってきて、

「パパ、あそぼー（子）」

「お外、いこ（子）」

　そして、子育てに追われた妻も、

「パパおむつ、代えて」（嫁）「お風呂入れてー」（嫁）

「パパ、ごはんだよー」（子、嫁）

　とお構いなしに、僕に呼びかけます。

　100万通貨のポジションを持ったまま、ほのぼのした気分で嫁の呼びかけや子供の面倒を見るのは難しい。

　それも裁量からシステムにトレードスタイルを変えるきっかけになりました。

　これまでも裁量トレードとはいえ、僕は**過去検証ソフトで徹底検証した売買プランだけを実運用で使うというスタンスをとっていました。**

　でも、「おっ、この手法、すごい成績がいいぞ」という売買手法をいざ実運用に移行させると、過去検証で得られた成果の半分以下の利益しか出せないのがほとんどです。

　なぜか？

　機械は24時間トレードできますが、人間は寝ないと死んでしまうからです。

　ソフトでの過去検証なら、1時間もあれば24時間分のトレードデータをすぐにとることができますが、裁量トレードで24時間トレードしようと思ったら、24時間ずっとチャートを監視し続ける以外ありません。

　何時間もモニタにへばりついているので判断力も鈍り、しっかり検証したトレードプラン通りの取引ができず、ミスが多発してしまうのも、実運用で思ったほどの結果が出ない一因です。

　つまり「人間の限界」。これはとても大きいです。

その点、システムなら24時間マーケットを監視することができます。睡眠時間が必要なく、どんなに働かせても基本的に死にません。

24時間体制でマーケットを監視してくれて、自分が考えたプラン通りの取引を実行してくれるので、トレーダー自身は夜ぐっすり眠ることができます。

疲労困憊して、売買シグナルを見間違えたり、取引の執行をミスったりすることも皆無です。

さらに取引を自動化することで、「時間」が生まれます。

裁量トレーダーのときは、マーケットの監視、つまりモニタとの睨めっこに労働時間の9割は使っていたと思います。

マーケットの見張りなんて誰でもできるし、もっといえば、そんなことは人間でなくてもできます。

見張っていた時間を機械にアウトソースすれば、浮いた時間でトレードプログラムの研究や新しいトレード手法の開発もできます。

FXトレードの能力を向上させるのは、プログラムをコーディングする技術かもしれないですし、数学や統計学の知識かもしれませんし、心理学やゲーム理論など学術的なことを究めてもトレードに役に立つかもしれません。

もしかすると、FXとは全然関係ないことをしているときにトレードアイデアが思い浮かぶかもしれません。

とにかく、**毎日チャートを眺めているだけで1日終わるのはもったいない。**

「これからずっと専業トレーダーとして、人生を過ごしていくうえで、システムトレードは絶対的な優位性のある取引スタイル」

そう確信した僕は、**MT4のEAのプログラムを書くための勉強を独学で始めました。**

　前に「人間はメンタルを鍛えられない。メンタルから逃げるしかない」と書きましたが、その考え方を究極まで徹底すると最後は「メンタルを排除して機械のようにトレードすることが大事」という結論になります。

　……だったら、もう、最初から機械が取引すればよくない？

　これもまた、僕がシステムトレーダーに舵を切った理由の1つです。

システムトレーダーは一に検証、二に検証、三に検証

　パンローリング社の『**FXメタトレーダー実践プログラミング**』（豊嶋久道著）や、ネットで検索できる情報などを約半年かけて勉強した僕は、2017年11月から晴れて自前のシステムを走らせてFXの取引をするシステムトレーダーに生まれ変わりました。

　裁量トレーダーも大変ですが、システムトレーダーも大変です。

　新しいトレードのアイデアが思い浮かんだら、とにかく検証です。

　1手法につき、最低7年分のヒストリカルデータかつ最低でも500回分の取引データを取得して、さまざまな角度からデータを見直します。

　1つのシステムの検証にかかる時間はまちまちで、モノによっては数時間で終了するものもあります。

　3日やそれ以上かかる場合、そのうちの大半を占めるのが「**アルゴリズム（プログラムの手順）を考えること**」や「**コードを書くこと**」といった開発にかかる時間です

　そのプロセスは、プログラミングの学習に始まって、トレードロジックを考える検証前、過去検証、検証後に見えてきた改善点の修正という3つに分かれます。検証自体はプログラム言語がす

らすら書けるようになれば、それほど時間はかからない、ということ。

　確かに検証前のトレードプラン作り、検証後にどうプログラムを改善してよりよいものにするか、というところには多少、時間がかかります。

　しかし、裁量トレーダーが冷や汗を流しながら、何日間も何週間もトレードに明け暮れて新たな経験値や知識を手に入れるのに比べれば、断然、早い。それがシステムトレードの優れた点といえます。

　むろん、せっかく苦労してトレードロジックをコードに書き起こしても、いざ検証すると全然ダメ、という場合も多く、たいていのアイデアは空振りに終わります。思ったような期待値が出ないということがわかって、途方に暮れることもあります。

　さらに、同じ手法でも、**決済の値幅や保有期間、テクニカルの期間設定などの「パラメータ値」を変更したり、別のテクニカル指標などの「フィルタ」を付け加えたりすれば、再度、検証をやり直す必要があります。**

　エントリーの条件や損切りの値幅などの変更だけでも、その組み合わせは事実上、無限大といっていいほど膨大になります。

　稼げるトレードアプローチって、そんな地味で、孤独で、他人から見れば退屈な作業によって初めて生まれるものなんです。

　膨大な「ボツ」を乗り越えて初めて手に入れることができるものであり、検証を手動でモタモタやっていたのでは追いつきません。「**勝ち組システムトレーダーになるには、検証の効率化が必要不可欠だな**」とつくづく思います。

　だからこそ、先ほど紹介した「フォレックステスター」や「シンク・トレーダー」は僕にとっての必需品。

　ＰＣ上のソフトなんで擦り切れることはないですが、もし辞書

や図鑑だったら、ボロボロで真っ黒けっけになるぐらい、使い込んでいます。

僕がシステムトレードで使うソフトと役割

僕がシステムトレーダーとして行っている作業と、そのために使用しているソフトを紹介しておきます。

専業システムトレーダーになるために必要なのは「**検証**」です。

過去チャートに、思い浮かんだアプローチを当てはめてみて、その期待値がどうなるかを調べる。期待値がよりよい方向になるためにひたすら、アイデアを回して検証していく。これが勝てるトレーダーになるための最短の道です。

そのためには、まず「こんなトレードプランで取引すれば、勝てるんじゃないか？」という「**仮説**」を立てる必要があります。

仮説ができたら、過去検証ソフトの「**シンク・トレーダー**」や「**フォレックステスター**」で**手動検証**。

最近の僕はプログラムを書くのに慣れたので、この部分は飛ばして、すぐプログラムによる自動検証に移ります。

しかし、プログラミングに不慣れな人だったり、あくまで裁量トレードで自分の手法の過去検証がしたいだけ、という人は「手動検証」までは必ず行ってから実戦売買を始めることをお勧めします。

僕の場合、「これはいけるかも」となったら、**プログラムを本格的に書いて、バックテスト**を始めます。

FXチャートツールの王様「MT4」の中には、先ほども紹介した「ストラテジーテスター」という優れたツールがあって、自前

のEAを高速で回すことで、１年間のトレード結果を数時間で見ることができます。

　昔は一握りのプロしか得ることができなかった経験値を、MT4を使うことで、誰でも得られる時代になりました。

　バックテストを重ねて、「このトレードアイデアは結構、使えるぞ」となったら、次はそのシステムの「最適化」を行います。

　先ほど、システムを作るためのパラメータの組み合わせは無限大といいましたが、使用するテクニカルの期間設定からエントリータイミング、利益確定や損切りの値幅といった、さまざまな変数の中で、よりよい数字を探す作業がこの最適化です。

　値動きの特性から考察して、新たなフィルターを付け加えたり、不要な要素を削除したりするのもこのプロセスの１つです。

　最適化もシステムトレーダーのセンスや実力が試される、とっても大切な関門です。

　あんまり<u>ヒストリカルデータ</u>に合わせ過ぎると、「<u>オーバー・フィッティング</u>」といって、実戦では勝てないようになる現象が起こります。過去のデータでいくら勝率や利益を上げることができても、過去のデータだけに頼り過ぎると成績が悪くなってしまうんです。

　なので、システムの構築でとっても重要なのは「<u>さじ加減</u>」。

　過去検証で使わなかったデータで、システムを再テストする「<u>アウト・オブ・サンプルテスト</u>」という「再検証」なども参考にして、システムを最適化していきます。

　この最適化が終わったら、単体の手法としてはある程度「合格」になります。

　検証して、ざっくり、これぐらいがいい、と決めたら、その後

はパラメータやロジックを、相場に合わせていじったりはあまりしません。

　何度もいうように、パラメータを過去の値動きにぴったり合わせ過ぎると必ずといっていいほど「オーバー・フィッティング」になり過ぎて、実戦では今ひとつ使えなくなるからです。

複数のシステムも同時に回した結果を検証

　さらに、システムは1つだけ回していればいいというわけでもありません。

　僕の場合、それぞれタイプの違うシステムを同時に4つ回しています。

　複数のシステムを回すときに大切なのが、それぞれの**システム間の相性**です。

　どんなシステムも100%、どんなときでも勝てる、ということはなく、この手法はこういう時期には勝っていて、こういう時期には負けやすいといった得意、不得意な場面が出てきます。

　手法Aがこの時期に勝っていて、この時期に負けているというとき、手法Bも手法Aと同じ時期に勝って、同じ時期に負けていてはメリットはありません。

　組み合わせる意味があるのは、手法Aが勝っているところで負けていても、手法Aが負けているところで勝つことができている手法Cです。

　トレード結果が逆相関になっているシステムを組み合わせないと、お互いがお互いを補完し合うようなポートフォリオにはなりません。

　図24に僕がFXのトレードシステムを開発するフローをご紹介しました。

　本書はあくまで裁量トレーダーの方にとってもヒントになるような僕の手法を公開する本なので、ソフトの使い方やプログラムの作り方については解説しません。

　クオンツ・アナライザー（Quant Analyzer）も本書で紹介したいのですが、細かく話しているとページがいくらあっても足りないので省きます。

　もし興味があるなら、僕のYouTubeで調べたり、僕が講師を務める投資コミュニティ「FIV」にご参加ください。

図24　ヒロ式システム開発のフロー

システムを実運用するまでのフローチャート

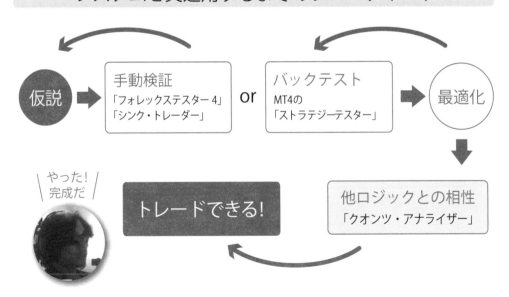

第**3**章

2年8か月で1152万円を
稼いだ"どシンプル"システム

システムトレードの
発想力とClipperMの実力

僕のシステムは1つではありません

　僕のFXのメイン口座は、MT4の中で走らせている自作のEAによって運用されています。

　MT4で使えるEAは無料のものから有料のもの、信頼できるシステムから「これ、怪しいぞ」という詐欺的なものまで、ネットで広く出回っています。

　自分ではプログラム言語とかコーディングとか、なーにも知らなくても、**そうしたEAをMT4に組み込んで動かせば、誰でもFXの自動売買を行うことが可能**です。

　日本の大手FX会社の中には、IFD（イフダン）注文を自動で何度も発注する自動売買サービスを、バカ高い手数料を徴収して提供している会社もあります。

　でも、連続してIFD注文を発注し続けるシステムなんて、ネット上にたくさん落ちているので、MT4でそのEAを動かして自前で自動売買システムを作ったほうがよっぽどお得です。

　システムトレードの利点の1つとして、**複数の売買システムを同時に動かせる**ことがあります。

　裁量トレードだと自分一人でいちいち売買することになるので、売買手法がどうしても1つに限られてしまいがちです。

「今日はトレンドがはっきり出ているから順張りトレンドフォローで攻めよう」、「明日はレンジ相場みたいだから、上がったら売り、下がったら買いの逆張りで行こう」と、その日ごとに売買スタイルを切り換えることができる器用な裁量トレーダーって、

少ないと思います。

　人間の頭って2つ以上の異なる考え方をきっちり切り替えて交互に動かすことには慣れていませんし、同じ時間帯に2つの異なる売買手法で取引するなんて絶対無理です。

　裁量トレードは漁師でいうなら「一本釣り」。青森県大間のマグロ漁師さんのように、自分の腕1本（＝手法1本）で1匹数百万円もする大物マグロ（＝巨大pips）を釣り上げる──それが裁量トレーダーのスタイルです。

　対してシステムトレーダーは、定置網なのか、はえ縄なのかはわかりませんが、**FX市場の中に網を仕掛けて、魚（＝値動き）がその中に入ってくるのを待つタイプ**といえるかもしれません。

　仕掛ける網は何も1つだけである必要はありません。

　僕自身、1つの売買手法に特化したEA1本で勝負しているのではなく、主に**4つのロジックを組み合わせたEAのポートフォリオを組んで、取引している**、というかシステム全体の「運用」を行っています。

　といっても、今日はトレンド相場だから順張りのシステム、今日はレンジ相場だから逆張りシステム、というように稼働システムを日によって使い分けているわけではありません。

　相場の地合いの変化に応じて、「今日のFX市場はトレンド相場で順張り向きなのか、レンジ相場で逆張り向きなのか」という曖昧なことを判断するのが、機械はとっても苦手です。

　そこで、今回紹介するClipperMでは、**FX取引が行われる24時間の中で、「順張りで成績がいい時間帯」「逆張りの手法が利く時間帯」を分けて、時間帯を選んだうえでシステムを稼働させる**という手法を採用しています。

　よく、「日本時間の午前中は欧米の投資家が参加していないので、レンジ相場になりやすい」とか「FXにとって1日の始まりとい

えるロンドン市場がオープンする日本時間の夕方ははっきりした
トレンドが出やすい」なんていわれます。そうした**時間帯ごとの**
値動きを把握したうえで、システムトレードのポートフォリオを
組む、というのが僕のやり方の1つなのです。

シストレの総利益、2年8か月で1152万円

といっても、「本当にお前のシステムで稼げるの?」と疑問に
思う方も多いでしょう。

なので、まずは2017年11月にシステムトレードを始めてから
の月間損益表をご覧いただきましょう（図25）。

1年目（2017年11月〜18年10月）は、システムを稼働させた当
初に月間200万円超の利益を連発したこともあって、**年間585**
万5282円のプラスになりました。

図25　システムトレードを始めてからの月間損益の推移

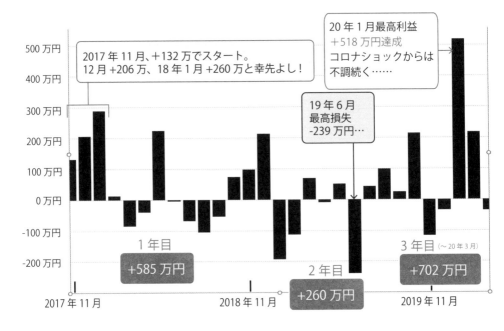

　手さぐり状態で始めてみたけれど、システムトレードで家族を養える自信がついた——そんな 1 年でした。

　そして、2 年目（2018 年 11 月〜19 年 10 月）は、18 年 12 月のドル円暴落で 200 万円以上の利益になりましたが、19 年 1 〜 2 月、6 月に 100 〜 200 万円超の損失を喫して、**年間 260 万 2661 円のプラス**で終わりました。

「トレンド相場だと儲かるんだけど、そのトレンドに勢いがないとなかなかうまく行かないケースもあるな。どうすれば、相場の地合いに応じてシステムを変更していけるんだろう？」

　260 万円の利益じゃ、税金を払うと家族 4 人の 1 年間の生活費には足りません。

　そして、2019 年 11 月からスタートしたヒロ式システムトレード 3 年目。1 月に 518 万円と月間最高利益をゲットできたこともあって、コロナショックで乱高下が続く中、5 か月で約 702 万円の利益と好調を持続していました。

「なんだかんだいって、上でも下でもいいけど強いトレンドが出ると稼ぎやすいシステムなんだな」

　と、自己分析していましたが、2020 年 4 月〜6 月のコロナショック以降は、不規則な値動きが続くトレンドレス相場の悪影響を受けて、トレンドフォロー主体の僕のシステムの「欠点」が浮き彫りになってきました。

　コロナショック以降、株価は激しく乱高下を繰り返しているのに、僕がメインターゲットにしているドル円はボラティリティが極度に低下した「ベタ凪」相場が続いています。

　トレンドがまったくない究極のレンジ相場をどう攻略するか。

　これが目下の僕の課題。結局 3 年目の今のところの成績は、3 月〜5 月と負けましたが、6 月は勝ち、トータルして 307 万円利益というのは冒頭で記しました。

僕の「どシンプル」システムを公開します

それではお待ちかね（？）、**2年8か月で1152万円を稼いだ僕のシステムポートフォリオの中の一部になっているロジックの詳細をご紹介**しましょう。

このシステムは、他のシステムと比べて非常に「どシンプル」なもので、初心者の方でも再現性が高く、裁量トレードでもカスタマイズしやすい。それがこのシステムを紹介する理由です。

紹介するシステムで過去検証すると、どういうバックテスト結果になるか、そのシステムの中身がどうなっているか、というところまで、しっかり説明していきたいと思います。

システムトレーダーの方は、僕が実際に運用しているシステムを参考に、さらに、よりよいシステムを構築する1つの材料にしてほしいと思っています。

じゃあ、裁量トレーダーの方々は？
「FXのトレードシステムなんて難しそうだから、裁量じゃ、とてもじゃないけど真似できそうにない。参考にならないよ」

なんて思っている人がいるかもしれません。

それは大間違い、たいへんな誤解です。

僕は密かに、**このシステムを一番活用できるのは、実は裁量トレーダーの人だ**、と思っています。

本書で僕のシステムの一部を公開しようと思ったのも、そのせいです。

はっきりいって、紹介するシステムは裁量トレーダーの方が実際のトレードで非常に真似しやすい、かなり単純なロジックでできているんです。

「どうせ小難しいテクニカル指標を複雑にこねくり回して、ド素人には理解できない理屈で動いているのが『システムなんちゃら』

だから、裁量トレードの参考にはならない」

　システムトレードに、そんな偏見を持たれている人はいませんか？

　でも実際にシステムトレードを「職業」にして、それで家族を養うための資金稼ぎをしてみると、**「難解で複雑なロジックだからといって、儲かるわけでは決してない」**ということを骨の髄まで実感します。

なぜ、FX の「単純さ」は人工知能で分析できないのか

　結局、FX トレードは「為替レートが上がるときに買って、下がるときに売れば儲かる」という非常に単純なゲームです。

　少なくとも、ポーカーや将棋や囲碁なんかに比べれば、「次の一手」の考察は驚くほど簡単なように見えます。

　しかし、「上がるか、下がるか」、選択肢は 2 つしかないものの、**どう動くかのルール自体がまったくもって明確ではないので、実は、なかなか「次の一手」が予測しづらい世界**なんです。

　FX の答えって、サイコロの目が奇数になるか偶数になるか、という丁半ばくちに近いように見えますが、「偶数が出る確率は 2 分の 1」といった確率論では扱えません。

　FX の「上がるか、下がるか」という単純極まりない結果の裏側には、**投資家の群集心理やポジション動向、刻一刻と変化する世界経済の状況や要人の発言など、複雑きわまりない「変数」**がひしめいています。

　それらの影響力をすべて計算して、「上がるか、下がるか」だけでなく、じゃあ、「どんなふうに上がるか、下がるか」というところまで予測するのは、おそらく、数千億、数兆円の資金を動かすプロのヘッジファンドの AI（人工知能）でも、まだ計算不可能な、

未知の領域だと思います。

　そうなってくると、下手に「難しい」「複雑」なだけのシステムは融通や小回りが利かないぶん、値動きをとらえきれず、エントリー回数や勝率、リスクリワードの面でも有効な成績を残すことができなくなってしまうもの。

　FXのシステムに求められているのは、「難しさ」「複雑さ」ではなく、実は「シンプルさ」「単純さ」「わかりやすさ」。

　この点は、僕も完全に誤解していました。

　システムトレードを究めるためには、複雑なロジックを細かいレベルまで綿密に書ける技術が必要だ、頑張んなきゃ、と焦ってました。

　でも、実際にバックテストを何度も何度も行って、「このシステムなら実戦で勝てる」と確信し、実際に運用して利益を上げることができた手法なりアイデアは、当初、僕が抱いていたシステムトレードのイメージとはまったく別物、180度正反対の「非常に単純な、とってもゆるいロジック」だったんです。

　Twitter（@hirospeculation）でも、ポジションや決済のレートを配信しているので、それを見て、もしかして解読済みという人もいるかもしれません。

　でも、ほとんどのフォロワーさんは、僕がもっと難しい分析や複雑な運用をしているとイメージされているでしょう。

　冒頭の通り、実際は、**ほとんどの人が思っている以上にシンプルで単純。「なんだ、こんなどシンプルな手法だったのか？」と怒り出す人もいるかもしれません。**

　どうか、怒らないでくださいね。

EAの成績はPF1.5、勝率54%

　手法を紹介する前にまず、バックテストの結果をお見せしましょう。とても単純な手法のため、手法を先に紹介して「なんだ、これは？」と怒られるより、まずは「ルール自体の優位性」の検証を見てもらって納得してもらったほうがいいからです。

　僕が自作したEAに「Clipper」という名前をつけていますが、その中の「Clipper M」というのが今回、紹介するシステムの名前になります。

　実際の取引で対象としている通貨ペアは現在、ドル円だけ。

　そこで、この**「Clipper M」を実際の運用と同様に、ドル円1時間足で回したら、どんなトレード結果になったか**を示したのが図26になります。

図26　2016年～18年・ClipperMの過去検証・利益の伸び

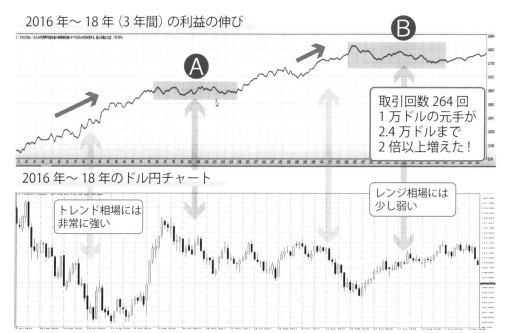

2016年～18年（3年間）の利益の伸び

取引回数264回
1万ドルの元手が
2.4万ドルまで
2倍以上増えた！

2016年～18年のドル円チャート

トレンド相場には
非常に強い

レンジ相場には
少し弱い

　バックテストの成績は、あくまでルール自体の検証であって、実際の成績ではありません。

　2016年から2018年末まで約1000日間。取引コストにあたるスプレッドは1pipsに設定しています。

　実際の運用では、スプレッドは1pips以下で、単利ではなく複利で、利益も再投資に回しているので、成績は図の過去検証の結果よりももっとよくなります。

　僕自身がこのClipper Mを回し始めたのは2017年10月から。

　なので、2016年年始から17年9月まで、つまり、ここで紹介する過去検証期間の半分強は、このEAを開発したときには存在しなかったデータになります。

　とてもシンプルなロジックなので、バックテスト中のチャート画面を表示するモードにしても、たった10数秒で検証が終わってしまうほどです。

　3年間回して、実際に行われた取引は264回。図26の上のグラフは取引のたびに資産がどのように推移したかを示したもの。

　ずっと右肩上がりなことからもわかるように、当初の証拠金1万ドルは3年間が経過し、264回目の取引が終了した時点で2万4047.72ドルまで増えるという検証結果になりました。

　資産倍増どころか、2.4倍増に成功し、獲得利益は約1万4047ドルになりました。

　何度もいいますが、これは過去検証であって、実際の運用では利益も再投資しているので、稼げる金額はこんなものでは済みません。データ以上にもっと稼げるシステムだとご理解ください。

　とはいえ、先ほどのグラフを見ると、AやBのゾーン（取引回数110回目前後と200回目前後）など、もたついている個所があります。

　冒頭でも紹介しましたが、図27にClipper Mを3年間バックテストしたときのデータを抜き出して表示しました。

　一番大切な**プロフィットファクターは 1.54** で、総利益が総損失を 5 割以上、上回っています。3 年間の成績としては物足りないかもしれませんが、それでも 1.5 というのは EA の中では優秀なほうだと思います。

　システムの検証では、取引の中で一番負けたとき、資産がどれぐらい減ったかを示す「最大ドローダウン」も大切です。

　ClipperM の**最大ドローダウンは 11.27%**。10% 以下だとかなりリスクが低い EA といわれているので、これはまぁ、かなりリスクが高めの数字といえるでしょう。その分を勝率とリスクリワードでカバーする感じです。

　勝率は 54.55%。勝ちトレードの平均利益が 276.76 ドル、負けトレードの平均損失が 215.05 ドルになります。なので、**リスクリワードレシオは 1.27**。

　これらの数値からわかることは、Clipper M のロジックが勝率、

図27　Clipper M・2016 〜 18年のバックテストデータ

過去検証でわかった Clipper M の実力！

取引回数	264 回
証拠金	10,000 ドル
獲得総利益	14,047.72 ドル
勝率	54.55%
プロフィットファクター	1.54
総獲得 pips	39853.38pips
最大ドローダウン	2854.35pips （11.27%）

リスクリワードレシオのどちらか一方に極端に偏ったものではないということ。

　勝率に重きをおいたり、リスクリワードに重きをおいたりしているわけではないんだけれど、わりと着実に利益を上げていけるバランスのいい手法というのが総合的な評価になるかと思います。

　次項から手法の詳細を公開しますが、「高ボラ（ハイボラティリティ）」の地合いでわりと勝ちやすいロジックといえます。

　2019年〜2020年3月の実運用では、後半にかけて勝ちが増えていくという形になり、プロフィットファクターが1.62。勝率55.67％、リスクリワードレシオが1.29でした。

　そう考えると2019年は不調でしたが、過去検証した2016年〜2018年と実運用で実際に稼いだ2019年〜2020年で、トレードの成績が変わっていないことも確認済みです。

「Clipper M」はトレンドフォローシステム

　さんざん引きつけておいて、すみませんでした。

　いよいよ、この手法の中身の説明です。

　Clipper Mの基本スタンスはトレンドフォローです。

　トレンドというと、上昇トレンド、下降トレンド、横ばいトレンドの3つがあります。上昇トレンドのときは買い、下降トレンドのときは売り、横ばいのときは見送り、が売買の方向性になります。

　ここまでは当たり前ですが、僕がこだわったのは「時間」です。

　Clipper Mというシステムの核心は、**トレンドに勢いが出やすいと思われる「時間帯」だけに限って、トレンドが発生しているのを確認したうえで、フォロー戦略をとっていること**です。

FX市場の「変動率」が高くなる時間帯とは

つまり、「時間帯」がものすごく重要な意味合いを持っているシステムになります。

「FXは24時間取引できる金融商品といわれるけど、そういえば、**トレンドが出やすい時間、出にくい時間があるな**」というのは、実際にFXのトレードをしたことがある人なら、なんとなく感じていることだと思います。

トレンドは1週間、1か月ぐらい続くロングスパンな方向性なので、もう少し正確にいうと、**その日、その日に出る為替レートの勢い＝「モメンタム」と言い換えてもいい**かもしれません。

FX市場の1日は図28のように、欧米が夏時間のとき（3月〜10月）は、早朝の5時からニュージーランド、オーストラリアのオセアニア市場が始まって、9時〜15時の東京市場に引き継がれ

図28　各国FXマーケットの時間スケジュール

FX市場は24時間眠らない

	オセアニア市場	東京市場	ロンドン市場	ロンドンフィキシング	NY市場
夏時間における日本時間　およそ3月〜10月	5時〜8時	9時〜15時	16時〜1時	0時	21時〜5時
冬時間における日本時間　およそ11月〜3月	6時〜9時	9時〜15時	17時〜2時	1時	22時〜6時

ます。

　世界的に見たとき、「**FXの朝**」といえるのが夕方の**16時から始まるロンドン市場**です。

　ロンドン市場は16時に始まって翌日深夜1時まで約9時間続きます。その後半戦の21時ぐらいからは米国NY市場もオープン。最も取引高が大きい時間帯となり、深夜1時にロンドン市場がクローズすると取引が細ります。

　NY市場は翌日早朝の5時に終わり、ぐるりと太陽が地球を一周して翌日のオセアニア市場に引き継がれます。

　市場の開始・終了時間が1時間遅れる冬時間の始まりはヨーロッパ、米国で若干違います。

　ヨーロッパは10月最終日曜日から3月最終日曜日まで、アメリカは11月第1日曜日から3月第2日曜日まで、です。

　まとめると、**ロンドン市場は「3月末〜10月末の7か月間は日本時間の夕方4時〜深夜1時」、「10月末から3月末までの5か月間は夕方5時〜深夜2時」**にオープンしています。

　NY市場は夏が21時〜早朝5時、冬が22時〜6時です。

　ヨーロッパでも米国でも生活に支障が生じるサマータイムを廃止する議論が出ていて、EUでは実際に廃止予定といわれていますが2020年中はまだこのタイムスケジュールで動きそうです。

　FXの場合、株式市場とは違って、「マーケット」とはいっても、厳密には実際に為替取引をするための取引所が存在するわけではありません。あくまでその時間帯にFXの取引を行う主要な銀行、機関投資家が存在している都市の名前をつけて「○○市場」と呼んでいるだけです。

　しかし、それぞれの市場のオープン時間に注目すると、やはり「市場ごとの取引が開始される始業時間」の為替レートの変動率が、そのほかの時間帯に比べて、かなり大きくなっていることがわか

ります（図29）。

　図29は松井証券のウェブページより引用（https://www.matsui.co.jp/market/fx/time_change/）した、2020年4月24日現在における直近21日間のドル円の平均騰落率を示しています。

　変動率が最大なのはロンドン・NY市場が同時にオープンし、NY株式市場の取引も始まっている**23時〜0時の0.29%**。時期によって多少の数値の差異は生まれますが、図でもわかるように、**9時〜10時、15時〜16時、21時〜1時の変動率が高くなる傾向**は、時期を問わず、ある程度一貫しています。

　また先に述べたマーケットのオープン・クローズ時間以外にもいわゆる「仲値発表」（東京時間10時）と「ロンドンフィキシング」（東京時間0時or1時）があることにも注目です。

　東京仲値やロンドンフィキシングは、東京やロンドンで銀行がその日、顧客に提示する為替レートが決定される時間帯で、活発

図29　ドル円の時間帯別変動率

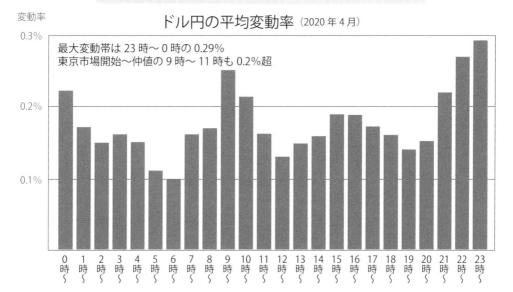

な取引が行われます。

　それもあって、**東京市場の仲値が決まる10時、ロンドン市場のレートがフィックスされる夏の0時、冬の1時は変動率が大きくなりがち**です。

　図29は為替レートの変動幅ですが、トレンドもしくはモメンタムを測るためには取引高も重要です。

　FXには取引所がないので「いったい今、どれくらいのお金が市場で動いているのか」はわかりませんが、基本、FXの取引が盛り上がるのは欧米が昼間の時間帯です。

　つまり、変動率では東京市場のオープンから仲値決定の9時〜10時も高くなっていますが、こちらはどちらかというと**出来高が少ない時間帯に値が跳ぶことで生まれる変動**といえます。

　対して、ロンドン市場がオープンする16時〜17時にいったん変動率が上がったあと、NY市場がオープンする21時〜22時からロンドンフィキシングの0時〜1時までは、**大量の出来高をともなった動き、すなわちトレンドやモメンタムが強く出たうえで、為替レートの変動率が1日の頂点に達する時間帯**と考えることができます。

「ロンドン市場がオープンする16時〜17時は市場が激しく動くのでデイトレやスキャルピングの稼ぎ時」と、よくいわれます。

　図29の変動率はそのことをある程度、実証しているともいえます。

　しかし、もう少し長い目で見ると、ロンドン市場のオープンはある意味、「ドラマの序章」で、そこから**ロンドンフィキシングが行われる0時**（冬時間なら深夜1時）**のクライマックスに向かって、FXの取引がじわじわと盛り上がり、最高潮に達していくこと**のほうが大切だと僕は思います。

　変動率に取引高の推測を加味して、「1日」という時間経過の

中の値動きの勢いの推移をデフォルメしてグラフ化すると、図
30のような曲線になる、というのが僕のイメージです。

　そして、このグラフ中、**赤い帯を敷いた時間帯（ロンドン時
間がオープンする16時〜17時からロンドンフィキシングの0時
〜1時まで）に出ている**トレンドに沿った売買戦略をとることが、
トレンド相場において効率よく利益を上げるための近道であると
考えました。上昇トレンドが数日間続いているといっても、為替
レートが1日中、ずっと上昇を続けているわけではありません。

　ある一定の時間帯に売買が盛り上がって、わあっと上昇が続き、
それ以外の時間帯は押しつ戻りつ、行ったり来たりのレンジ相場
が続いて小休止。

　**欧米人にとっての「朝」を迎えるロンドン市場オープンで再び
上昇の勢いが復活して、NY勢も取引に参加し始めた21時〜22時
に最高潮に達し、ロンドンフィキシングが行われる0時〜1時に**

図30　FX24時間のトレンド・モメンタム推移のイメージ

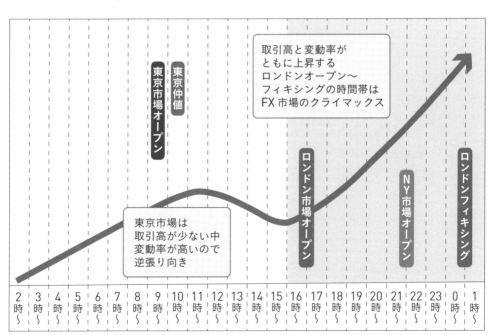

その日のフィナーレを迎える。

この流れが体感としても変動率のデータを見ても非常に多い。

だったら、ロンドン時間が始まるときにトレンド方向にポジションをとり、ロンドンフィキシングの時間帯が過ぎたら、損益に関係なく決済すれば、「クライマックスに向けた動きのおいしいとこ獲り」ができるんじゃないか。

それが僕のシステム「ClipperM」の基本方針です。

ロンドン市場の開始・終了による「タイムゾーン戦略」

つまり、ロンドンオープン時点（夏16時、冬17時）でトレンドが出ているときはそのトレンド方向にポジションを立てる。

そして、ロンドンフィキシング（夏0時、冬1時）にポジションを決済する設定にする。

縦軸の為替レートではなく、横軸の時間帯でエントリーとエグジットのタイミングを決める「タイムゾーン戦略」というか「タイムオーバー戦術」というか——。

それがこのClipper Mのアプローチなのです。

ロンドン市場のオープンからクローズ間近のフィキシングまでは8時間なので、1時間足8本分の勝負になります。

ロングの場合は、16時〜17時に出た1本目のローソク足の始値より、0時〜1時に出る8本目のローソク足の終値が上昇していたら勝ちになります。

ショートの場合はその反対です。

「えっ、そんな単純で、おおざっぱな発想で大丈夫なの？」

と多くの方が思うでしょう。

僕も思いました（笑）。でも、冒頭に掲げたように過去検証でも、そして実際の運用でも、獲得利益、勝率、リスクリワードが良好

な以上、とっても立派なロジックだと誇りに思っています。

トレンドフォローの条件も "どシンプル"

エントリーする時間（夏は日本時間16時、冬は17時）、エグジットする時間（夏は0時、冬は1時）を最初に決めました。

次は、どういう指標で、エントリー時点に「トレンドが出ていると判断するか？」です。

ここでもめちゃくちゃシンプルに、3本の移動平均線の並び順を用いて、トレンド判断します。

トレードに使用するチャートは**1時間足**。
平均線の種類は**SMA（単純移動平均線）**。
採用するパラメータは6、24、120の3つです。

1時間足チャートでは6時間、24時間、120時間になります。
「6」、すなわち6時間はおおむね東京→ロンドン→NYと続くFXの1市場が開いている（＝活発に取引が行われている）時間であること。さらには、24時間＝1日の4分の1で、24の約数であることから採用しました。

ただし、他のパラメータでも過去検証した結果、5などにしても大きく結果は変わりません。

日足チャートでのトレードに慣れている人は1週間＝5日なので、MAの短期線の期間を「5」に設定している人も多いと思います。5に対して強いポリシーをもっている人は5でもいいと思います。

2本目の中期移動平均線は「24」。**24は1時間足ではちょうど「1日分」**。日足1本が形成される時間になるので、1時間足ではとても大きな意味を持つ移動平均線だと思います。

　3本目は「120」。

　24時間が1日で、1週間の営業日が月曜日から金曜日まで5日分なので24時間を5倍したものが「120」、つまり、**1週間の営業日数を時間に落とし込んだパラメータ値**になります。

　3つのMAの中では当然ですが、短期の6MAが為替レートの動きに最も素早く反応して上下動を繰り返します。

　ローソク足は6MAを上抜けたり、下抜けたり、上下の位置関係がかなり頻繁に変わります。

　とはいうものの、陽線を連発して上昇が続くときは上からローソク足＞6MA、陰線連発で急落したりする場面では6MA＞ローソク足の並びが鮮明になり、6MAがかなり急角度で右肩上がり、右肩下がりになってローソク足を追いかけていきます。

　こういう状況でトレンドフォローすれば、着実に利益を上げることができます。

　図31はドル円1時間足チャートに6、24、120時間のSMAを表示したもの。2019年11月27日〜12月3日の値動きです。

　画面の左3分の2はMAの並びがおおむね上から6＞24＞120で上昇トレンド。画面の右3分の1はローソク足が急落して、一転、下降トレンドに転換しています。

　僕が設定した時間帯である**ロンドン市場オープンからフィキシングまでの時間（17時〜1時・冬時間）は赤色の薄い帯で示した**ゾーンになりますが、**ローソク足8本分の値動きにはかなりきれいなトレンドが出ている場合が多い**ことがわかりますよね。

　むろん、図のAのように上昇が続いていたのに途中で下落に転じてしまい、買いで勝負していたら損失で終わってしまっている

ケースもあります。

　Ａのように途中まではうまく行くけど、取引の終了時間をわざ
わざ設定したことでかえって、うまく行かないこともあります。
それが過去検証でも 52％という、ほぼ五分五分の勝率につながっ
ているのかもしれません。

図 31　ドル円 1 時間足とロンドンタイムの値動き・具体例①

上昇後下落

強い下落

ずっと上昇

Ⓐ

後半上昇

6MA

強い下落

24MA

120MA

赤い帯　　で示した
時間帯がロンドンタイム。
Ａのような失速もあるが
きれいなトレンドが続く
ことが多い

ドル円 1 時間足 （2019.11.27 ～ 12.3）

　図32はコロナショックが金融市場を襲い、1ドル108円台から101円台まで非常に大きな値動きがあった2020年3月4日〜17日のドル円1時間足チャートです。

　ローソク足1本分が1円以上の値幅になることも多く、変動率は先ほどの図31とは雲泥の差ですが、ローソク足と6、24、120MAの距離感にはさほど違いはありません。

　図の中の赤い帯の部分が、システムで採用しているタイムゾーンの値動きになります。このチャートでも、画面左側の急落、右側の急騰が「17時〜1時」（冬時間）のロンドンタイムに発生していることがわかります。

　実際、図の画面左側のドル円急落が起こった3月第1週のClipper Mのパフォーマンスはとっても良好で、468万1800円の利益を上げることに成功しました。

図32　ドル円1時間足とロンドンタイムの値動き・具体例②

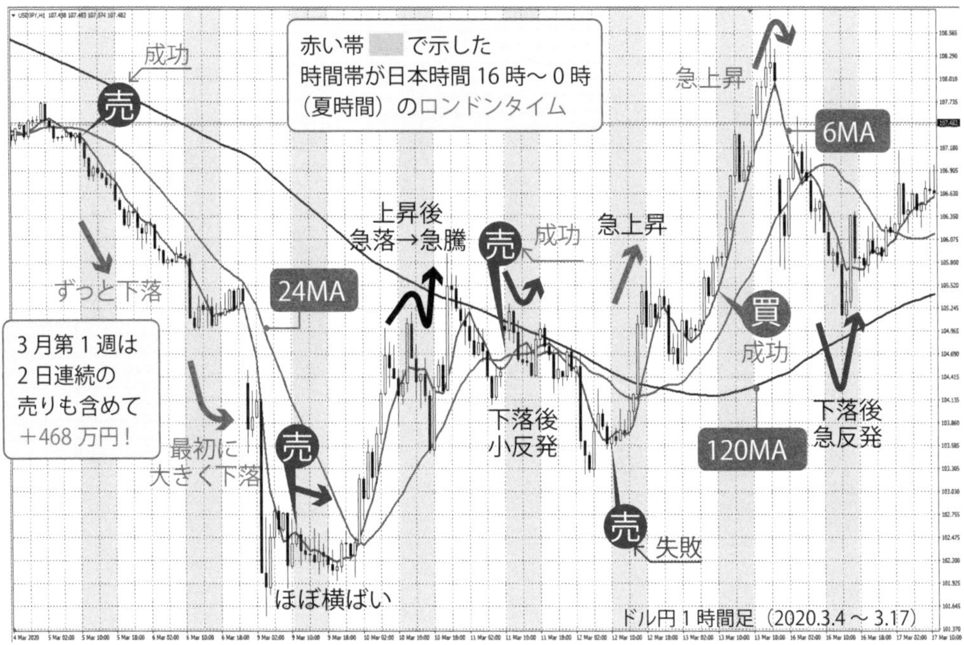

エントリー条件はローソク足＞6＞24＞120

　おっと、少し先走ってしまいました。

　肝心のエントリー条件についてもお話しするのを忘れていましたね。

　僕はこのClipper Mを回して、24時間の中で強いモメンタムをともなったトレンドが出現しやすい「ロンドンタイム」を狙うのですが、16時〜17時になったからといって必ずエントリーするわけではありません。

　エントリーするにはトレンド判断に使っているローソク足、6、24、120MAがある条件をクリアしている必要があります。

　移動平均線でトレンドを占うときは、その傾きや長短移動平均線の並びに注目するのが一般的です。

　Clipper Mがエントリー条件にしているのは、**ローソク足と短期の6、中期の24、長期の120という長短移動平均線の「並び」**です。

　ローソク足と移動平均線が**「ローソク足＞6＞24＞120MA」の順に上から並んでいるときは完全な上昇トレンドと判断。そのときに限ってロングでエントリー**します。

　MT4を使っている人なら、この状態を「パーフェクトオーダー」と呼ぶのはご存じだと思います。

　短期・中期・長期の3本のMAがこの順番をキープしたまま、同じ方向、ほぼ同じ傾きで揃った状況が「パーフェクトオーダー」と呼ばれ、その発生を教えてくれるインジケーターがMT4には標準装備されています。

　僕のロジックでは、**ローソク足の終値、そして6、24、120のMAが順番に並んだ状態をパーフェクトオーダーと見なし、「トレンドが出ている」と判断**します。

　図33のドル円1時間足（2018年11月22日〜30日）の赤い線で挟まれた部分は上からローソク足、6MA、24MA、120MAの順番に並んでいるので、「上昇のパーフェクトオーダー」。Clipper Mのロジックではロングでエントリーする基準を満たしています。

　判定時刻はロンドン市場がオープンする直前のローソク足、すなわち**夏時間なら15時、冬時間なら16時**の1時間足が完成した段階で、ローソク足の終値＞6＞24＞120MAと並んだ状態になったときに、次に出るロンドン市場オープン時間のローソク足の始値で買いを入れる、というのが「上昇パーフェクトオーダー」完成時のロングエントリーの執行条件になります。

　図33では、拡大したローソク足aが日本時間16時の1時間足になり、ローソク足の終値＞6＞24＞120MAという並びが完成しているので次の17時、冬時間のロンドン市場がオープンしたと同時に出た陽線bの始値でエントリーします。

図33　上昇PO成立時のエントリー基準・具体例

　その後、下ヒゲの長い陽線cが出ますが、あとで説明する損切りラインには引っかからずにそのままポジション継続。

　陽線bから数えて8本目（8時間後）のローソク足dの終値で機械的に利益確定になります。8本目のローソク足が終了する日本時間の深夜1時はちょうどロンドンフィキシングが行われる時間になります。

　この図33の例では、次の日本時間深夜1時〜2時に陰線eが出て、その後はもみ合い相場で終始したので、**理想的な高値エグジット**に成功した形になりました。

機械的な「8時間保有」でトレンドすべてを利益に

　先ほどの図31のAの例では、設定した8時間のタイムゾーンの途中で高値をつけたあと、そこから下落してしまい最終的には損失確定で終わることもある、と説明しました。

　しかし、**機械的にエントリーとエグジットの時間を決める**ことで、図33の例のように、上昇の初動段階からてっぺんまでを丸ごと獲得できるのが、システムトレードの利点です。

　もし裁量トレードで図33のローソク足bでエントリーしていたらどうでしょう？

　赤色の破線の枠で示した持ち合い相場で評価損益がマイナスに転落したあたりで、きっとあきらめて、薄利での利益確定もしくは損切りに方針転換している可能性も高いと思います。

　灰色のもみ合いタイムは、裁量トレーダーにとってはメンタルを削られる、とても苦しい時間帯になっていたはずです。

　「上昇トレンドが続いているのは移動平均線の並びからも明らか。でも上がってくれない。と思っていたら、ローソク足cは非常に長い陰線をつけて（当然、その時点でこの陰線が下ヒゲで終わるかどう

かは誰にもわかりません）、買値をはるかに下回るところまで下がっ
てしまった…」という値動きに実際、付き合って見ていたら、陰
線の時点で損切り撤退してもおかしくありません。

　もし我慢してポジションをキープしていたら、ものすごく疲れ
ることは想像できると思います。

　そうした**メンタルに負荷をかけるようなトレードを排除して、**
「期待値」に賭けるのが、ある意味、システムトレードの長所です。
当然、先ほどの「途中まで儲かっていたのに、終わってみれば損
していた」という悔しい思いもしますが、それは「必要悪」でし
かありません。

　実運用を重ねることで、悔しい損失より、思いのほか利益が伸
びたトレードが多いことがわかっているからこそ、安心して、8
時間、ポジションをキープできる、というわけです。

「下降」パーフェクトオーダーの具体例

　さて、上昇のパーフェクトオーダーに続いて、下落のパーフェ
クトオーダーも見ておきましょう。

　図34は2018年11月14日〜22日の1時間足チャートですが、
灰色の線で挟んだ部分が上から順に120MA＞24MA＞6MA＞
ローソク足の並びを形成していて、「**下降のパーフェクトオー**
ダー」になっています。

　図の中でローソク足がロンドン市場オープン前の日本時間16
時に6MAより下にあってエントリーの条件をクリアしている場
面は3回ありました。

　図に示したように最初の2回は途中、反転上昇して含み損を抱
える時間帯があったものの、NY市場のオープン、ロンドンフィ
キシングという**為替レートの変動率が盛り上がる時間帯にかけて、**

狙い通り、下落トレンドが加速。利益を出して取引を終えました。

　特にAの取引は終了3時間前から大陰線が3本連発して大きな利益になりました。Bも終了直前の1時間足が大陰線となっています。

　Cはエントリー直後に大陰線が出て下落し、ダブルボトムのようなチャート形状になったあと、ロンドンフィキシングに向けて勢いよく反転上昇してしまったので失敗に終わりました。

　僕はザラ場中、システムに任せっきりでほとんど値動きを見ません。Cのような失敗は、裁量トレードなら、途中、2度安値をつけて反転上昇して、ネックライン（途中高値）を超えたところあたりで、これは「トレンド転換するかも」と判断して、薄利での利益確定か、若干の損切りで終わらせることもできたかもしれません。

　実際に値動きを見ていれば、明らかに「これはアゲンストだな」

図34　下降パーフェクトオーダーの取引・具体例

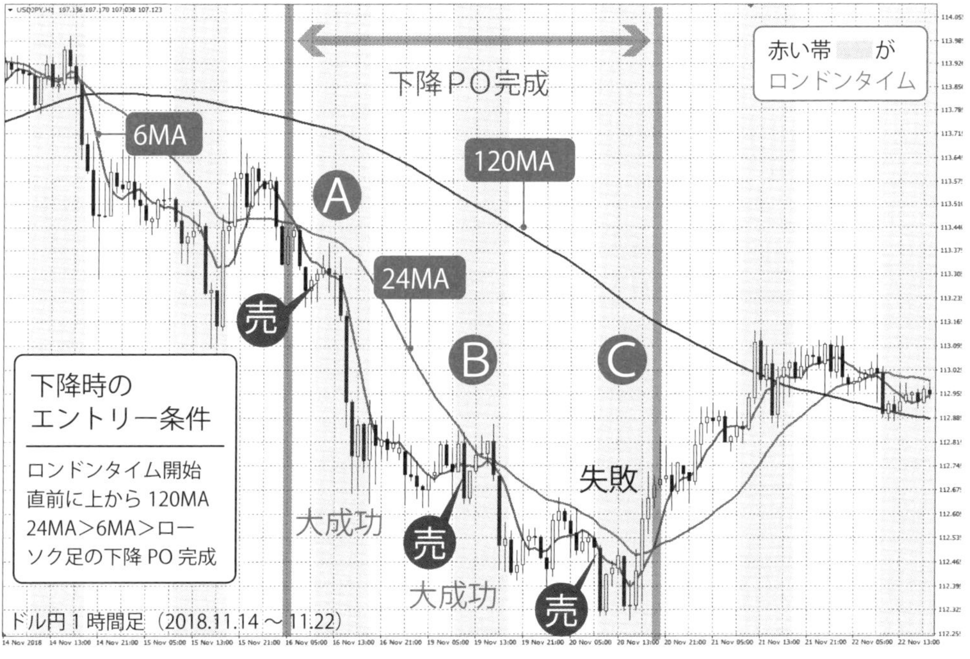

ドル円1時間足（2018.11.14～11.22）

という場面では「その場の判断で取引をストップさせてもよかった…」と思うこともあります。

むろん、その場の判断でストップさせたら、結局、またトレンド方向に伸びて「儲けそこなった」というのも悔しいものです。

Clipper Mは「おおざっぱ」で「ゆるい」システムなので、**裁量トレードの判断を使えば、もっと利益を伸ばすことができるはずです**。Clipper Mの売買ルールを使って裁量トレードすれば、もっと儲かるんじゃないか？

それについては第4章で詳しくご紹介するので、今しばらくお待ちください。

損切り設定に使う「ATR」とは？

「ほめて伸ばす」

一言でいうと、それがこのシステムの本質かもしれません。

というのも、途中で**「これだけのpips数稼げたら利益確定」という利益確定の基準を設けていない**からです。

ロンドン市場での値動きに最初から最後までお付き合いする、市場がオープンした時点の強いトレンドがさらに伸びて終わってくれればうれしいな、というのがコンセプトになっています。

しかし、損失に関してはほったらかしで運用する以上、一応、設定しておかないといけません。

損切りに使う指標は「ATR（アベレージ・トゥルー・レンジ）」です。ATRはその時点でローソク足がどれぐらい値動きするか、想定される値幅を過去の値動きの平均値から計算したもので、日本語でいうと「平均変動値幅」といったものになります。

その計算方法は各ローソク足の、

- （そのローソク足の）高値と安値の値幅
- 高値と前のローソク足の終値の値幅
- 前のローソク足の終値と安値の値幅

　のうち、最大値幅「TR（トゥルー・レンジ）」を計算し、その期間平均を算出したものです（図35）。

　FXの場合、休祝日を挟まない限り、前のローソク足の終値＝今のローソク足の始値なので、TRは「その時点のローソク足の上ヒゲのてっぺんから下ヒゲのしっぽまで」が圧倒的に多くなります。

　このTRをパラメータ14、すなわち14本分計算して、平均値をとったものがATR（14）。

　ClipperMの損切り設定はATR（14）の5倍にしています。

図35　ATRの仕組みと計算方法

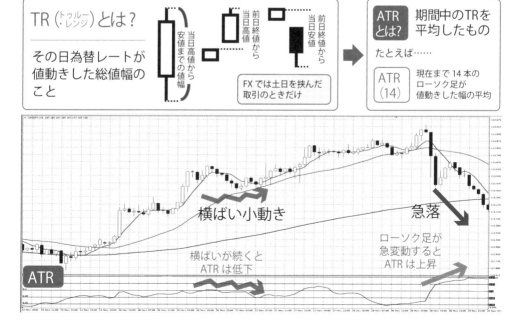

　図36は先ほど「上昇パーフェクトオーダー」の例として紹介した図33のドル円1時間足チャートの下段にATR（14）を表示させたものです。

　期間中（2018年11月23日〜29日）のATR(14)は**0.049〜0.1426の間で推移**しています。つまり、この期間中のローソク足1本分の平均変動値幅は**4.9銭から14.26銭**になります。ロンドンオープン直前のローソク足で計算したATR（14）がもし仮に4.9銭だとしたら、損切り幅は5倍の24.5銭。**エントリーポイントからその値幅分、反対方向に逆指値で損切り注文が入ります。**

　ATRの5倍という損切り幅が何を意味するかというと、ATR（14）はこれまで出たローソク足の14本分の平均値幅ですから、**その値幅の5倍以上、反対方向に行かないと損切りしない**ということ。図36のロンドンタイムA、B、Cのポイントですべてロングエントリーした場合の損切り幅は図に示した値幅になります。

図36　ATR（14）×5倍の損切り幅の具体的イメージ

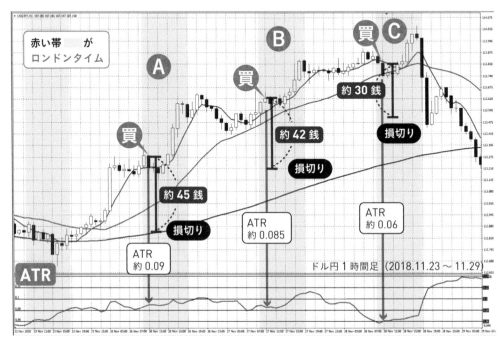

　確かにザラ場中に「米国雇用統計がめちゃくちゃ悪い数字だった」とか「コロナ感染がさらに広がった」とかビッグ・サプライズが出ると、為替レートがエントリー方向とは逆方向に大きく振れることがあります。

　FXでは何が起こるかわかりません。システムの場合、値動きそのものを見ないで結構、大きなポジションを保有し続けるので利益確定については「ほめて伸ばす」ポリシーにしても、**損切りラインは絶対に決めておくべきです**。

　それが「ATR（14）×5倍」という値幅になります。

　しかし、これまでの経験則上、コロナショックなどで相場が激しく乱高下しているケースを除くと、**ATR（14）の5倍という、非常にワイドな損切りラインに引っかかって、ゲームオーバーというケースは非常に稀です**。

　損失確定の9割方は、ロンドンフィキシングが終了する夏時間0時、冬時間1時まで**ポジションをホールドしたものの、損失が解消されないまま、タイムオーバーで自動的に決済、というのが圧倒的に多くなっています**。「ATR（14）×5倍」という損切りラインはあくまで「保険」と考えてもらって構わないでしょう。かなり、ゆるゆるの損切りラインと言い換えてもいいです。

ClipperMのルールのまとめ

ClipperMのルールをもう一度、まとめます。

まずはエントリーロジックです。

●ロングエントリー

1. ロンドン市場のオープン時間（東京時間で夏→16時、冬→17時）直後に

2. 上から順に終値＞短期移動平均線＞中期移動平均線＞長期移動平均線の並びになっていたら→ロングエントリー

●ショートエントリー

1. ロンドン市場のオープン時間（東京時間で夏→16時、冬→17時）直後に

2. 終値＜短期移動平均線＜中期移動平均線＜長期移動平均線の並びになっていたら→ショートエントリー

決済ロジックは、

●ロングポジション

1. エントリーレート－(ATR14×5)の所に逆指値注文

2. エントリーから8時間経過後にポジションがオープンだったら成行決済

●ショートポジション

1. エントリーレート＋(ATR14×5)の所に逆指値注文

2. エントリーから8時間経過後にポジションがオープンだったら成行決済

となります。じゃあ、このシステムを回すといったいどれぐらい儲かるのか？　最近は**ClipperMで取引するLot数は14に**設定しています。1Lotが10万通貨の海外口座での運用なので、**14Lotだと140万通貨**になります。**8時間で1円抜きに成功すれば140万円の利益**。逆に50銭負けると70万円の損失。1pipsすなわち1銭の上下で損益が1.4万円の増減になります。

2018年〜2019年のドル円のATRは**どれだけ相場が乱高下しても0.3がマックス**でした。その5倍で損切りすると損失は1.5円、150pipsに達するので150万円になります。

しかし、コロナショックが襲った2020年3月中旬には、ATRが0.7円台まで跳ね上がることもありました。その5倍というと3.5円。**140万通貨で損切りを食らうと490万円のマイナス**になります。しかし、Clipper MはトレンドフォローシステムなのでATRの値幅が大きくなっているときは、そのトレンドと同じ方向にポジションをとっていることが圧倒的に多くなります。ポジションを保有中に、その強い値動きとは真逆の方向に、ATRの5倍もの急変動が起こることは実はなかなかありません。**コロナショックで乱高下が続いた2020年2月〜4月の運用でもATR×5倍の損切りラインには一度も引っかかりませんでした**。とはいえ、相場が荒れてATRが急上昇したときは損切り水準を変える、といった対策も考えたほうがいいのかもしれませんね。

成功例（上昇トレンド時）を振り返る

「トレンドを時間で切る」という発想のこのシステムが成功を収めやすいのは、簡単にいうと、ずっと右肩上がりか、右肩下がりの相場展開が続くときです。

　図37は、上昇トレンドにおける成功例です。2020年1月9日、
10日、11日と3日連続のエントリーが続き、

●1月9日109.358→109.47　14Lot　15万8200円の利益
●1月10日109.579→109.554　14Lot　3万5000円の損失
●1月11日109.634→109.931　14Lot　4万5800円の利益

と、3日合計で16万9000円の利益になりました。

　成功といっても10日のトレードは、ちょうど上昇の勢いが鈍っ
て反転下落に向かう陰線での決済になったのでマイナス転換して
しまいましたが、それまでは利益が出ていました。

　むろん、画面左の108円43銭から右の最高値110円20銭台ま
で約1円80銭、180pips上昇しているわけですから、わざわざ「時
間で切り取る」必要はなく、頭からしっぽまで上昇をすべて利益

図37　上昇トレンド。3日連続エントリーで16.9万円の利益

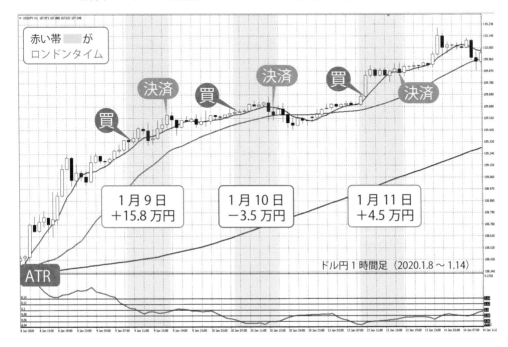

に変えられたら、それはすごいでしょう。

でも「頭としっぽはくれてやれ」という投資格言もあります。

システムトレードで実運用中は労力をまったくかけずに、こつこつ、ざくざく利益が積み上がっていきます。**1つ1つのトレードについてはあまり高望みせず、ルールに従って「トレンドを時間で切り取る」行為に専念したほうが精神的にもラクです**し、トータルの成績も高水準をキープできる、というのが3年近く実運用を続けたうえでの結論です。

ただ、こういったきれいな上昇トレンドが続いているのに、たった8時間で利益確定してしまうのは僕自身「もったいない」と感じることもあります。

裁量トレーダーの方なら、ロンドンフィキシングが行われる深夜0時（冬は1時）に利益が出ていて、さらに伸びそうだと判断できたら、**「直近高値から○○pips下げたら決済」という逆指値のトレイリング・ストップを入れてから寝る**、というのも「あり」だと思います。そうすれば、**ロンドン市場終了後の上昇にも食らいついていけます。**

Clipper Mの仕組みをここまで読んだ方なら、もうおわかりでしょう。このシステムは手の込んだ「料理」ではなく、とってもシンプルでプレーンな「食材」のようなものです。裁量トレーダーが使うワザでさらにブラッシュアップできるような「スキマ」というか「遊び」「ゆるさ」が残されています。

だからこそ、facebook上で僕と裁量トレーダーの笹田喬志さん（通称ささっち）が運営する『Financial Investor Village』（FIV）に参加していただき、侃々諤々、Clipper Mの活用法、育て方をみなさんと語り合えたらと思っています。

成功例（下降トレンド時）はどうか

　ショートエントリーの成功例についても見てみましょう。

　当然ですが、こちらも、上から120＞24＞6MA＞ローソク足という並びが鮮明で、強い下降トレンドが継続しているときほど、エントリーチャンスも利益獲得チャンスも増えていきます。

　図38はコロナショックが直撃した2月下旬のドル円ですが、1ドル111円台から短期間のうちに107円台まで暴落した初期段階の値動きになります。

　図に示したようにロンドンタイム時点で、2度、Clipper Mの下降パーフェクトオーダーの条件を満たし、

　2月25日　110.711→110.144　14Lot　79万3800円の利益

　2月28日　108.894→108.282　14Lot　85万6800円の利益

　合計160万円以上の利益が上がりました。28日は強烈な下げ

図38　下降トレンド。2つのショートエントリーで160万円超

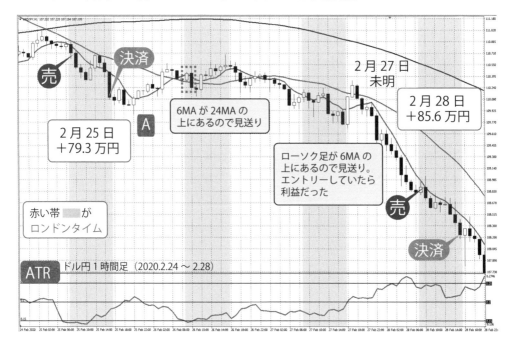

をショートで獲ることができました。

19年終盤は0.1円以下で推移していた**ATRも最大約0.4円台**まで広がり、ボラティリティが非常に高くなっていることがわかります。

システムを走らせている間は、こうした乱高下相場でも値動きをほとんど気にせず、ほったらかしにしているわけですから、1日空けて**2連続のショートエントリーで160万円超も利益が上がれば御の字**かもしれません。

ただし、ここ数年、**ドル円は下値104円台から上値110円台〜112円台で狭いレンジ相場が続いてきました。**

そのドル円が短期間で、これほど強烈でわかりやすく下げることはなかなかありません。

つまり、Clipper Mが対ドル円で狙えるチャンスや1トレードあたりの利益の幅はかなり狭いので、稼げるときに稼いでおかないとトータルで大きな利益になりません。

図の場合だとAのゾーン、2月25日夕方から26日未明にかけての反転上昇局面を回避できたのは、時間帯を区切って投資した効果といえます。

反対に、27日未明から起こったドル円急落をとらえられなかったのは、上昇トレンドのところでもいいましたが、「**時間帯を区切ってタイムオーバーになったら必ずエグジットする**」ことの**デメリット**といえるでしょう。

　でも、100%負けず、欠点もない完全無欠のシステム、すべての値動きに対応して必ず利益を出せるようなロジックはありません。

　「どこを狙うか」だけでなく、「どこをあえて狙わないか」という発想はシステムトレーダーだけでなく、裁量トレーダーにこそ、必要な視点といえるかもしれません。

　つまり、27日未明の急落を利益にするのは、Clipper Mでも、「未明」という時間帯から見て裁量トレードでも不可能だ、ということ。

　こういった急変動を狙うためには、ボリンジャーバンドの±2σ、3σなど、ボラティリティの拡大に敏感に反応するようなロジックを考えて、「相場が急変動したらその方向性についていくシステム」を作るしかないのかもしれません。

第**4**章

どシンプルな「Clipper M」を
手動で回して、さらに稼ぐ

Clipper Mでざくざく稼ぐ
ヒロ式裁量トレード術

システムの「オーバー・フィッティング」は禁物

　自分が作ったシステムに対していうのもなんですが、実運用でのトレードをあとで振り返ると、これまでも述べてきたように「ここはこうすればよかったのに…」といった未練というか後悔というか、「たられば」というか、反省点が見えてきます。

　しかし、**システムトレードって、そういった具体的な反省点に全部いちいち反応して、ロジックを複雑にすればするほど逆に儲からなくなってしまう**ものなんです。

　一般の方はシステムトレーダーというとさぞかし「綿密で細かく、重箱の隅をつつくような思考の持ち主」で、トレードの細部まで「神経質なまでに事細かなルール」を決めて、改善点があれば日々、ロジックに改変を加えて「進化」させているんだろうな、と思っているかもしれません。

　しかし、そのイメージは少なくとも僕の場合は正しくありません。

　僕は常に、**システムのロジックが「オーバー・フィッティング」にならないか、その危険性**について考えています。

　たぶん、Clipper Mのロジックをさらに複雑化させることは、それほど難しくはないと思います。

　でも、**今までも結構、うまく回って、そこそこ利益を出しているシステムを下手に改変してしまうと、おおざっぱでゆるゆるの運用に比べて、逆に精度や利益率が落ちてしまうことも多いの**です。

　たとえば、**Clipper Mには一番重要と思われる「利益確定の
ルール」がなく、ロンドンフィキシングが過ぎたらタイムオーバー
で自動的に利食いするという「時間」での区切りしか決済ロジッ
クがありません**。

　確かに、8時間というタイムリミットの途中で50pipsの含み益
が出ていたのに、途中で為替レートが反対方向に急変動して、い
ざ、終了してみたら25pipsのマイナスだったら悔しいです。「あ
あ、途中で利益確定していたら、損切りで終わらなくて済んだの
に…」とかなり落ち込むと思います。

　でも、その反対に50pipsの含み益からさらにトレンドが加速し、
下手な利食いをしなかったことで、最終的に80pips、100pips
をゲットできる可能性もあるわけです。

　ここ3年間の実績で見ると、なかなか100pips以上の利益は得
られていないので、含み益が100pipsを超えたらタイムオーバー
前でも利食い、という新たな条件をClipper Mに付け加えるのに、
さほど難しいプログラミング技術は必要ありません。

　しかし、「100pips」という条件を付け加えると、2020年2
月以降のコロナショックのようなハイボラティリティ相場で
100pips以上の利益を「取り逃がしてしまう」リスクが、どーし
ても出てきてしまいます。

　つまり、**利益確定基準の新設が、Clipper Mの「ほめて伸ばす」
的な長所を逆に消してしまう「オーバー・フィッティング」につ
ながりかねない**のです。

　そう考えると、システムそのものに変化を加えるよりも、**裁量
トレード的な「今の相場に素直に反応する」という機転というか
反射能力を介在させるほうが、もっと成績が上がる**んじゃないか、
と僕は思っています。

　じゃあ、どの方向にClipper Mを使って裁量トレードすれば、

怠け者のヒロがシステムを回しっぱなしにして、ほったらかしにしているより、好成績をあげられるか?

　本章では、**裁量トレーダーのみなさんに向けた、僕なりのClipper M改良法をいくつか、ご紹介**してみたいと思います。

「超順張り」システムで失敗しやすい点とは

　Clipper Mは、「勢い、モメンタムが続く」というのが大前提になっているロジックです。

「ロンドン市場のオープンで強いトレンドが出ていれば、その勢いがロンドンフィキシングまで継続するだろう」と素直に信じ込む無邪気で天真爛漫な少年のようなシステムというか…(笑)。

　つまり、そのときの地合いから見て、

「今日は勢いが持続しなさそう」

「さすがに、ここからさらに上げるのはきついだろう」

「移動平均線も寝てきたし、そろそろリバウンド上昇に転じそう」

　といった**「これまでのトレンドが設定時間内に急に変わりそうな場面」を的確に取り除ければ、より精度の高いものになる**可能性があるということです。

　図39は上昇トレンドの勢いが失われてしまったときにエントリーして負けた例です(ドル円1時間足。2020年2月6日)。

　チャート全体をぱっと見ると、上昇トレンドが続いているので、儲かりそうにも見えますが、急上昇トレンドが続いたあと、画面中央で、いわゆる「高値持ち合い」に移行しています。

　そのため、拡大図に示したゾーンで、日本時間16時の終値aがぎりぎり6MAの上にあったので次の陽線でエントリーしましたが、その後は途中、大陰線bが24MAを割り込むほど下落して含み損が拡大。

　なんとか終盤に戻して、6MAの上までは浮上しましたが、最後の1時間を持ちこたえられず、深夜1時の大陰線cの終値での損切りタイムオーバーになりました。

　あとから振り返ると完全な「高値づかみ」になっていて、その後、しばらく右肩下がり気味の横ばいが続いたあと、下降トレンド入りしています。

　こういうトレンド失速場面では、図に示したように、

①すでに上昇が長い間続いている
②長期120MAと中期24MAのかい離幅がかなり広がっている

という2点が目立つことがわかります。

　長期線が短期、中期線から大きく離れて置いて行かれているのは、上昇がかなり急激なものだったこと、急に上がり過ぎた分、

図39　トレンドの力が失速して損切り・具体例

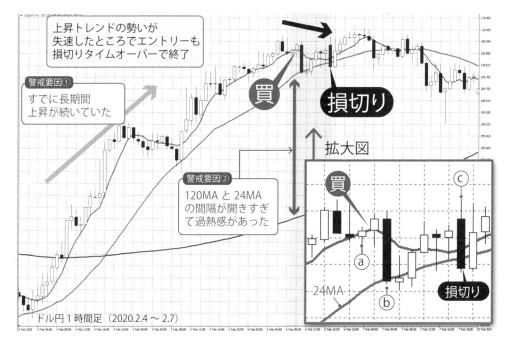

失速して下落に転じるのも早い可能性があることを示唆しています。

　図40はエントリー途中に下降トレンドから上昇トレンドに転換してしまって、珍しくATR（14）×5倍のロスカットに引っかかって損切りになった例です。

　エントリーポイントは結果的に、ちょうど**底ばいが終わって反転上昇に向かう直前のタイミングだったため、かなり大きな損失になりました**。エントリー時点ではこれまた、①すでに長い間、下落が続いている、②120MAと24MAのかい離幅が大きい、という2点がそろっています。

　特にエントリー直前には逆三尊気味の3点底をつけていて、「ここから上昇だ」とまでは言い切れないものの、「下落が加速しそうだ」という判断も難しい場面でした。実際に図のチャートを見ていれば逆三尊完成のネックラインAで早々に損切りできました。

図40　トレード中にトレンドが反転して損切り・具体例

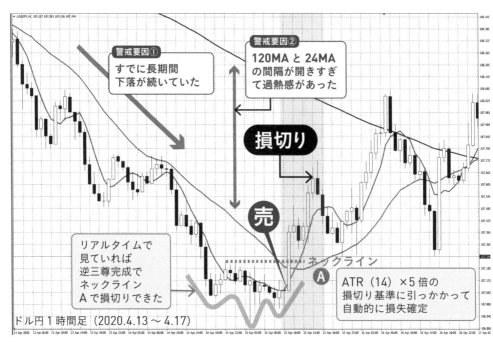

　しかし、システムトレードでは、エントリールールに合致したら必ず売買します。それがシステムトレード。

　あとから裁量トレーダー的な観点でチャートを見れば、「ここで売りはないな」と思える局面でしたが、その直感どおり、ロンドンフィキシングを待たずに損切りになりました。

トレンドの「ガス欠」を察知し失敗トレードを減らす

　後づけでトレンドを見れば、紹介した**2つの失敗トレードのエントリーがトレンド終盤のポイント**だったことが簡単にわかります。

　むろん、すでに過去のものになった値動きを、あとで振り返って、「やっぱり、こうなった。危ない感じがしたんだよな」とか「ほら見たことか。こうなると思ってたんだよな」なんて後講釈を垂れるのはトレーダーとして一番やってはいけないこと。

　じゃあ、リアルタイムで、これらのミスエントリーをある程度省くことは可能なんでしょうか？

　買い手と売り手の攻防が続く中で、**売り買いの均衡が崩れた状態が**「トレンド」です。

　買い手優勢になり、どんどん買い上がり、売り手が敗走して損切りの買い決済で、さらにレートが急上昇していくのが上昇トレンド。

　反対に、売り手が優勢で「ざまあ見ろ」とかいいながら、どんどん売り浴びせ、買い手が「助けて」とポジションの投げ売りを始めることで、下落が加速するのが下降トレンドです。

　しかし、買い手優勢や売り手の一方的勝利が永遠に続くことはありません。トレンドというのはある程度、継続すると終わっちゃ

うんですね。また、買い手と売り手のどちらか一方が、あまりに
も深く敵の陣地に攻め込んでしまうと、思わぬ返り討ちにあうこ
とが多いわけです。

　たとえば、その戻りの目安として、図39のトレンド失速場面
や図40のトレンド転換場面でも観察できたように、

①エントリー直前までにトレンドが継続してきた期間の長さ（＝
　ローソク足の本数）に上限を設ける
②長期の120MAと中期の24MAの間隔が広がり過ぎて、トレン
　ドに過熱感が出たらトレードしない

　といった縛りをかけるための売買基準を設けるのは「あり」だ
と思います。

　たとえば、上記の縛り①をシステムにプログラムするには、

●トレンド継続（ローソク足の本数）の制限時間をどれだけにする
　のか？
●期間をどこからカウントし始めるか？

　を決めなくてはいけません。

裁量をプラスしてClipper Mの弱点を克服する法

　トレンド継続の期間に関しては、ローソク足の本数で測ること
ができます。
　トレンドがどこから始まった、と判断するかの起算点に関して
は、たとえば、短期線と中期線がトレンド方向にクロスした時点
から数えるとか、中期線と長期線のクロスを起算点にするとか、

さまざまな基準が考えられます。

　でも、結構、「トレンドの長さの平均」や「トレンドがどこから始まったといえるのか」の検証には膨大なバックテストが必要ですし、こうした制約を加えることで、失敗だけでなく成功の芽も摘み取ってしまっては意味がありません。

　トレンド発生から数えてローソク足何本以上になったらエントリー不可、といったロジックはすぐに作れますが、「勝率、獲得利益はどうか？」「何本目でやめると、最も期待値が上がるか」、そもそも「何も制約を加えない場合よりも成績はいいのか」など、検証すべきことはたくさん出てきます。

　でも裁量トレーダーなら、それまでの為替レートの上下動のリズムなどから、**「陽線が5〜6本続くといったん下がる」**とか**「上昇→横ばい→上昇→…というサイクルも、3度目ぐらいになると失速の可能性が高い」**と感覚的に危機を察知することができます。

　上記のような感覚的な判断はシステムのロジックにはなかなか落とし込めません。

　そう考えると、エントリー条件はClipper Mを踏襲して、ロンドン市場オープン時点のローソク足＞6MA＞24MA＞120MAの並びで決めるものの、上記のような「危なそうなリスク要因」があるときは、**「ローソク足が6MAを割り込んだら決済」**といった独自ルールで対応するのも、**Clipper Mを裁量トレードに生かす1つの方法**といえるでしょう。

中・長期MAのかい離率からトレンド失速を予測する

　②の中・長期線がかい離し過ぎると、トレンドの失速や転換が起こりやすい、という失敗の分析についてはどうでしょうか？

中期線と長期線のかい離率をトレード条件に加えたり、「短期

線と中期線のかい離」と「中期線と長期線のかい離」の比率を出
して売買基準を作るなどのアプローチが考えられます。

　ただし、こちらも、かり離率をどれぐらいの比率にすれば、成
功例を生かしたまま失敗例を減らせるのか、オーバー・フィッティ
ングを回避するためには、膨大な過去検証が必要になりそうです。

　そんなとき、僕が思うのは、

**「裁量トレーダーのほうが、別のテクニカル指標の活用や経験則
を生かすことで、トレードすべきか、せざるべきか、かなり的確
に判断できるんだけどな」**

　ということ。

　僕はシステムにお任せですが、たとえば、Clipper Mでエン
トリーシグナルが出たとき、毎回、それが**他のテクニカルの視点
や経験則**からいって、**「本当にエントリーしていいのか」**を判断
するだけでも、かなり**勝率や獲得利益を伸ばす**ことができるん
じゃないか、と思うわけです。

中・長期線のかい離率を見るためにMACDを使う法

　Clipper Mプラス α の裁量テクニックには、どのようなもの
が考えられるか？

　単なるアイデア段階ですが、さまざまなテクニカル指標の「小
技」を使いこなして、Clipper Mを裁量トレード用にチューナッ
プする方法を考えてみましょう。

　1つの考え方は、このClipper Mが移動平均線を使ったロジッ
クだから、「勢いがありすぎて、さすがに途中で果てるかも」「勢
いがそれほどないので失速するかも」という判断も、やはり移動
平均線を使ったロジックで判断するのがいいのではないか、とい
う視点です。

　たとえば、移動平均線は短期線のほうが値動きに対する感応度が高く、期間が長くなればなるほど感応度が低いという特性があります。

　先ほど失敗例で検討した中期線と長期線のかい離が激しいときというのは、**トレンドが結構、長く続いて、短期線と中期線の間隔が狭まり、長期線だけがいまだ取り残された状態**といえます。

　逆にトレンドの初動では、**短期線だけが単独でまず動くので、中・長期線が置き去りにされて、短期線と中期線の間隔か広がっていく傾向が強くなります。**

　長・短移動平均線の間隔を単純に指標化したものといえばMACDが有名です。

　すでにご存じの方も多いかもしれませんが、**MACDというのはめちゃくちゃ単純で、短期EMA（指数平滑移動平均線）と長期EMAの間隔（値幅、差）をレートで示しただけの指標**です。

　たとえば、そのパラメータを短期6と中期24、中期24と長期120で、2つのMACDを設定して、両者の値動きの差を見ることで、トレンドの加速や停滞、失速、転換を観察するのも「あり」かもしれません。

　MACDを見るときは、前にも少し触れた「為替レートの上昇が続いているのにMACDは右肩下がり」という「ダイバージェンス」がトレンド失速の前兆シグナルになります。

　ダマシも多いシグナルですが、たとえば、中期24EMAと長期120EMAの間隔を示した**長期MACDはまだ上昇が続いている**というのが、先ほど見た失敗②の「**24MAと120MAがかい離し過ぎている**」状況を示します。

　そのとき、短期線・中期線の間隔が狭くなって、**短期6EMAと中期24EMAをパラメータにした短期MACDがすでに下がって**いるようなら、「**長期的にはまだ上昇しているけど、短期的に見**

たらトレンドが失速しそうな状況」を事前に察知できるかもしれません。

　つまり、**短期MACDと長期MACDのダイバージェンス（方向性の相反）でトレンドの失速を判断するという発想**です。

　図41は上昇トレンド終盤のドル円1時間足チャートに、6と24EMAの間隔から計算した短期MACD（シグナル計算の期間は9）、24と120EMAの間隔から計算した長期MACD（同）を描画したものです。

　移動平均線が単純（MA）か、指数平滑型（EMA）かの違いはありますが、図を見ると、ローソク足がいったん横ばいに転じたあと再び上昇している過程で、**早くも短期MACDが値動きに対して、ダイバージェンスを起こしている**ことがわかります。

　対する長期MACDは高値圏でローソク足が横ばい推移している間も上昇。ローソク足が高止まりを続けることで、**24MAが上昇して120MAとの間隔が広がっている**ことがわかります。

　図の例だと、短期MACDがダイバージェンスして下落に転じ始めたのに、長期MACDがまだまだ右肩上がりになっているAの地点あたりで、「（6MAと24MAの間隔）÷（24MAと120MAの間隔）」が低下していくことになります。

　ただし、Aの時点ではまだ為替レートは上昇中です。

　その後、長短MACDのかい離はますます広がりますが、Bの地点を見てみると、**短期MACDはすでに下落を続けていますが、長期MACDもちょうどピークをつけて「じわり」と下がり始めている**ことがわかります。

　これまで24MAの上昇で24MAと120MAの間隔は広がる一方でしたが、Bの地点になって両者の間隔が狭まることで、ゆるや

かながら長期MACDも下落し始めた、というわけです。

　この長期MACDの下落は少なくとも、このチャートでは、高止まりしていた為替レートの上昇の勢いが失速し、その後、下降トレンド入りする前兆シグナルになっています。

　そう考えると、**長期MACDが右肩下がりの短期MACDと同調して、下がり始めたところというのが「上昇トレンドにおけるトレンド失速」の先行シグナルになり、Clipper Mのロングエントリーを停止させる根拠**になるかもしれません。

　裁量トレードなら、ローソク足が24MAを割り込み、短期MACDがデッドクロスしたCの地点で下降トレンド入りと判断。

　Clipper Mよりもかなり早くショート戦略に切り換えることもできました。

図41　長期・短期MACDを使って上昇トレンド失速を判断

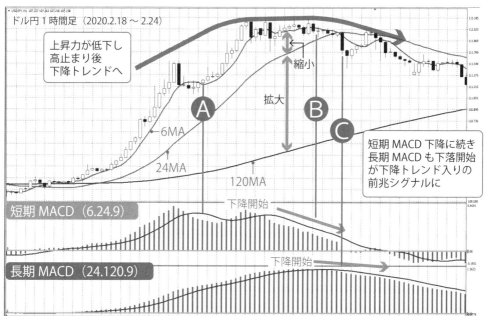

下降トレンドにおける短期・長期MACDの動き

　下降トレンドにおける短期MACD、長期MACDの動きも見てみましょう。

　図42はドル円の2020年2月24日から3月2日にかけてまでドル円1時間足チャートに短期MACD（6、24EMA）と長期MACD（24、120EMA）を表示したものです。僕の回していたClipper Mは図のA（2月25日）、B（2月27日）、C（2月28日）のロンドン市場オープン時点で「下降パーフェクトオーダー」の条件を満たしたので、ショートエントリー。

　期間中、ずっと下降トレンドが続いていたのでいずれも大成功して深夜1時のロンドンフィキシングで利益確定しました。

　エントリーした時点の**短期MACD、長期MACDも値動きと同じ下方向への下落が続いていて、下降トレンドが加速している状**

図42　下降トレンドにおける短期・長期MACDの使い方

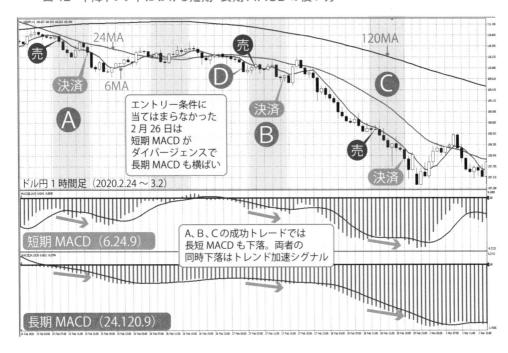

況で、その勢いが**8時間後のエグジットタイムまで継続**したことが勝因でした。

　Clipper Mの**「夕方、ロンドンオープンのときに出ているトレンドはロンドンフィキシングまで続きやすい」**という大原則の**優位性が示された**、といえます。

　逆に下落トレンドが一服した2月26日はロンドンオープン時点に6MAが24MAの上にあって条件を満たしていなかったので見送り。その後も横ばいが続いてエントリーしても損切りに終わっていたので、**「この場面では取引しない」というClipper Mの売買判断の設定もかなり的確に相場状況をとらえていることがわかります。**

　下降トレンドがいったん失速して横ばい相場に移行した2月26日前後のMACDに注目すると、短期MACDは値動きに合わせて反転上昇、長期MACDもロンドン市場オープン時点では微妙ですが上昇に転じています。

　仮に26日も上から順に120MA＞24MA＞6MA＞ローソク足の並びが完成してショートエントリーしてしまった場合でも、MACDの反転上昇＝下降トレンドの失速を見ていれば、裁量トレーダーなら「長短MACDの上昇を見る限り、ここは下降トレンドが小休止しそうな場面なのでショートしないほうがいいかな」と判断できたかもしれません。

　また下降トレンドが一時的に休止したあと、図のDのポイントから2月27日のロンドン市場のオープンに向けて、再び下落が加速しています。

　それにつられて、短期MACDも長期MACDも下落。つまり、6MAと24MAの間隔、24MAと120MAの間隔がともに広がっていきます。

　MACDというと何かとダイバージェンスばかりに意識が向きがちですが、逆にいうと、**ローソク足の安値更新とともにMACDも安値更新する＝下降トレンドが加速するシグナル**というのが最もオーソドックスなMACDの利用法なので、こちらも忘れないようにしましょう。

　図のDの時点以降、Cのエントリーポイントに至るまで、MACDは短期だけでなく、反応の鈍い長期MACDも大きく下降しています。MACDの値動きからも、Cの地点のClipper Mのショートエントリーは「正しい」と判断できました。

　このように、Clipper Mを利用した裁量トレードでは、移動平均線の並びでエントリーするかしないかを決めるClipper Mに対して「**その判断は正しいかどうか**」を別の角度から検討する**別の指標なり基準**を持っていると、より精度の高い取引が可能になりそうです。

トレンド初動なら「裁量」のほうが利益を伸ばせる

　反対に「今はまだ上昇トレンドの初動段階だから、ロンドンフィキシングでタイムオーバーしないで**ずっと保有していたら、もっと儲かるかも**」という判断も裁量トレードじゃないとできません。

　図43はドル円1時間足（2019年10月8日～14日）ですが、Clipper Mは、ロンドン市場オープン時点の上昇パーフェクトオーダーが完成していたA、B、Cのポイントで、エントリー→エグジットを繰り返し、いずれも利益を上げています。

　時間を区切ることで、たとえばDの急落とは無縁でいられましたが、逆に**タイムオーバーで決済したあとも上昇が続いているところもあります。**

　中でもBのエントリーからCの決済ポイントまで続いた上昇を

あとから振り返れば、「ずっと保有していたら、さらに儲かったのに…」と悔しさを感じてもおかしくありません。

移動平均線の並びが**下降から上昇に転換して間もない初動段階ですから、フレッシュな上昇の勢いに乗れればもっと利益を伸ばせる**はずです。

「ここまで下がったら利確」という逆指値を徐々に引き上げる「トレイリング・ストップ」は下手に入れると、「すぐに引っかかって利確したあと、また上昇した」というケースも多く、Clipper Mでは入れないことにしています。ただし、Clipper Mの売買ルールを使って裁量トレードをする場合、「**タイムオーバーだけどまだ伸びそう」というときには決済せずに、トレイリング・ストップを適当な位置に入れて利益を伸ばすのは「あり」**だと思います。

Clipper Mは過去検証でも実運用でも、勝率は50％台前半と

図43　トレンド継続局面はトレイリング・ストップで利益を伸ばす

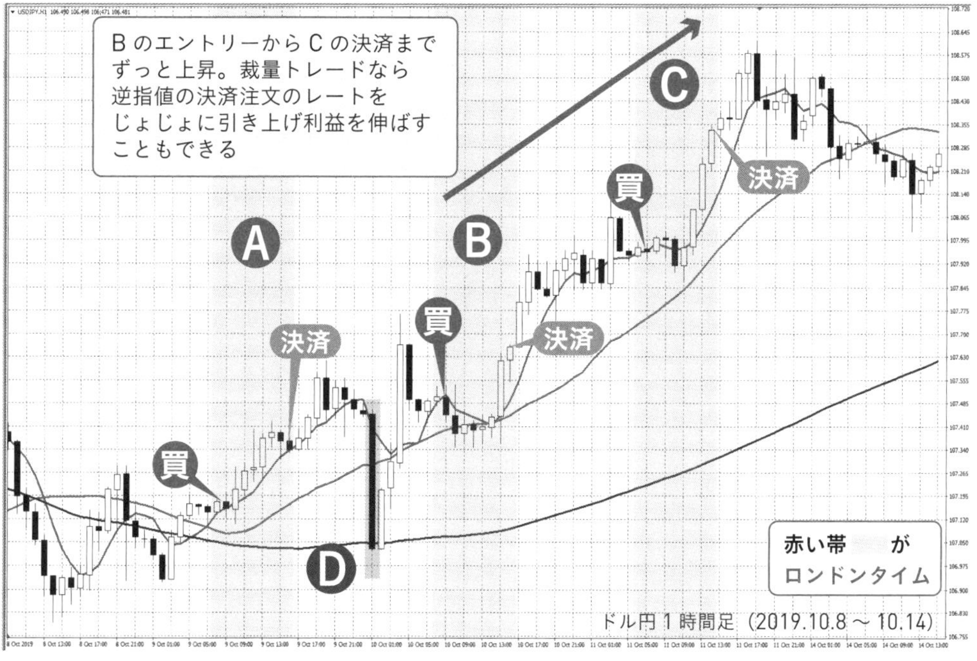
Bのエントリーから C の決済まで
ずっと上昇。裁量トレードなら
逆指値の決済注文のレートを
じょじょに引き上げ利益を伸ばす
こともできる
A
B
C
D
買
決済
買
決済
買
決済
赤い帯　が
ロンドンタイム
ドル円１時間足（2019.10.8～10.14）

それほど高くないですが、期待値は1.52と高く、結構、「がっつり稼げる」システムだと自負しています。

勝率の低さは「すでにトレンドが過熱して、ここからさらに伸びるのは難しいな」という場面でもエントリーしてしまうから。

そういったトレンドの失速や過熱感については中期と長期の移動平均線のかい離率やMACDのダイバージェンスなどを使った裁量トレード的判断をしていけば、減らすことができます。

逆に「このエントリーはまだトレンド転換初期なので、決済後も伸びそうだ」という局面では、トレイリング・ストップなどを使って、決済を遅らせることで利益をできるだけ伸ばす。

つまり、勝率とリスクリワードの両面を上げるような裁量的工夫を行えば、さらに飛躍的な利益を得ることもできます。

裁量のみなさん、安心してください。

Clipper Mのロジックを裁量で使えば、ほったらかしの僕より絶対、もっと儲かります。これは保証してもいいですね。

だからこそ、本書ではあえて一番シンプルで簡単なClipper Mというシステムを紹介させていただいているんです。

システムの長所を「裁量」に生かす方法

システムか、裁量か、というのは決して「どちらか一方を選ばなきゃならない」というものではありません。

システムには「メンタルを排除でき、ルールを厳守したトレードを24時間休まず行える」という長所や「過去の膨大なヒストリカルデータを使って、設定したルールの勝率、プロフィットファクターなどの成績を診断したうえで、安心して実運用を始められる」という利点があります。

一方、「数値や明確な基準を決めないと機械が受けつけてくれ

ない」、「機械的にエントリーやエグジットをしてしまうので、その場その場の状況判断が苦手」といった弱点があります。

　人間が行う裁量判断の長所は逆に、その場その場のイレギュラーな動きにも柔軟な判断を下せること、経験値を上げれば、コンピュータがまだ発見できていないようなチャンスを素早く見つけたり、リスクを即座に回避することもできます。機械が苦手な「ファジーで曖昧でとらえどころのない値動き」に対しても、かなり的確な判断を下すことができます。

　その反面、システムトレードのように24時間ずっと取引することはできませんし、感情や欲望などメンタルの管理に失敗すると、暴走して大きなリスクを冒したり、単純な判断ミスをしてしまう弱点を持っています。

　システムの弱点を裁量で補う、そして裁量の弱点をシステムで強化する──という相互補完で**Win-Win**な関係を作ることができれば、より腕の立つ優秀な**FX**トレーダーに進化することができる。それがこの章で僕がみなさんに訴えたいことなんです。

　僕はシステムトレーダーでもともと「数値的なもの」が「曖昧なもの」よりも好きだったので、テクニカル指標を見るときも、「その指標の計算方法がどうなっているのか？」「その計算によって、値動きのどんな側面をとらえようとしているのか？」、かなり理詰めで考えてしまう傾向があります。

ボリンジャーバンドのフツーの使い方とは

　そこで1つ、テクニカル指標を使った「小技」として、常日頃、「この発想、どーにかシステムに生かせないかな」と考えているボリンジャーバンドの使い方についてご紹介したい、と思います。

　ボリンジャーバンドは裁量トレーダーにも人気のトレンド系指

標です。**中央の移動平均線から為替レートがどれぐらい散らばっ
ているかを統計学の正規分布の理論で数値化し、その時点での平
均的な散らばり具合（＝「標準偏差σ」）やその2倍（2σ）、3倍（3
σ）の幅を持ったバンドを表示することで、値動きの変動率やト
レンドを見るテクニカル指標です。**

　一般的には、

●値動きが約95％の確率で収まる±2σ、約99.7％の確率で収ま
　る±3σを飛び越えるような動きは統計学的にはめったになく、
　**±2σ、±3σの外側に値動きがはみ出したら、いずれバンド
　内に戻るので逆張り**

という逆張り的な使い方と、それとは正反対に、

●ボリンジャーバンドは為替レートのその時点の変動率を表した
　もので、バンドの幅が拡大しているということは、相場のボラ
　ティリティが高まっている、つまりトレンドが加速しているこ
　とを意味する。なので、**±2σを飛び越えるような動きが出た
　ら素直に値動きの勢いの加速と判断して、順張り**でその動きに
　ついていくべき。値動きが±1σ～2σの間をどんどん一方向
　に加速して動く「バンドウォーク」に乗ってトレンドフォロー
　するのがボリバンの正しい使い方

という順張り的な使い方の2つがあります。僕はどちらかとい
うと後者の順張り派で、僕のYouTubeでの裁量トレード企画では、

●過去の高値ラインなど抵抗帯になっていた水平線を為替レート
　が上抜けしてブレイク

- そのとき値動きがボリンジャーバンドの＋2σを突破して上昇

という2つがそろったら高値ブレイクの勢いが加速したと判断して順張りの買い、といった手法で勝負したりしています。

ボリンジャーバンド順張り使用との組み合わせ

そんな裁量トレードの実演をしながら、最近、「これ、システムトレードにも生かせないかな」と考えているアイデアがあります。

それは、**異なる期間のボリンジャーバンドの±2σを同時に表示して、短い期間の±2σバンドが長い期間の±2σバンドの外側に飛び出した瞬間を、トレンドが加速する初動段階のシグナルとして使えないかな**、という発想です。

「ちょっと、何いってるかわかんない」といわれそうなので、まずは「ボリンジャーバンド」の説明をしましょう。

ボリンジャーバンドは多くの人が使っている指標で、「逆張りで使うか、順張りで使うか」、論争の多いテクニカルでもあります。

その計算式は統計学に基づいたもので、値動きはランダムなのでその予測はできないという「ランダムウォーク理論」と統計学の「正規分布」に基づいて作られています。

もしも、為替レートが上がるか下がるかは予測できない、つまり上に行くのも50％、下に行くのも等しく50％とするなら、統計学の正規分布の理論に基づくと、

- 為替レートが±1σ内に収まる確率は68.3％
- ±2σ内に収まる確率は95.4％
- ±3σ内に収まる確率は99.7％

といわれます。この95.4％とか99.7％とかいう数字を見てしまうと、多くの人が「はみ出す可能性がそんなに少ないなら逆張りしちゃおう」と考えるのは至極、当然かもしれません。

しかし、結論からいってしまうと、この指標を開発したジョン・ボリンジャー氏はその著書の中で「ボリンジャーバンドを逆張りで使うことは推奨しない。むしろ**価格がバンドをはみ出して、押し広げていくところが利益の源泉である**」と述べています。

つまり、順張りで使うのが正しいということになります。

なぜなら、為替レートの価格変動は上に行くのも下に行くのも50％というランダムウォーク理論では動いていないからです。

つまり、バンドが先にあって、95％の確率で収まるように価格が動いて収まるのではなく、**価格が先に動いてそれを追いかけるようにバンドができていく形**になります。

では、価格がバンドをはみ出して、押し広げている場面とはいったいどういう状態か？　というと、それは「買いと売りの均衡が崩れて、一方の勢力の優勢が決定的になった瞬間」といえます。

つまり、ボリンジャーバンドを使うときは「**価格のバンドのはみ出し**」とそれに続く「**バンドの押し広がり（拡大）**」に注目すると、**一方向に極端なまでにトレンドが加速する流れに乗れる**というわけです。

ボリンジャーさんの本を読んで、「バンドのはみ出しや拡大が順張りシグナルになるなら、異なる時間軸のバンドを同時に表示して、両者のはみ出しや拡大・縮小に注目すれば、トレンドが加速したり収束したりするシグナルとして使えるんじゃないか」と僕は考えました。

そこで考案したのが期間の違うボリバンの±2σラインを同時に表示して、両者のはみ出しや拡大・縮小からトレンドの加速を予測する手法です。

期間の違う±2σラインを使ったトレンド転換発見法

　具体例をお見せしましょう。

　FXトレードの世界では「**短い時間の値動きは長い時間の値動きのトレンドに支配される**」という「**マルチタイムフレーム分析**」の考え方が一般的です。

　トレードをするときは、より長い時間軸のチャートを見て、そこに出ているトレンドを認識したうえで、短い時間軸でもそのトレンドの方向性に沿った取引をすべき、というのがマルチタイムフレーム分析の教えです。

　要は、「**大きな時間の流れに逆らっちゃだめ**」というわけ。

　具体的には、たとえば1時間足、4時間足で上昇トレンドが続いていたら、15分足、30分足などで値動きがそのトレンドに逆らって下落したあと、再び、トレンド方向に戻るところで押し目買い、戻り売りしましょう、というのが基本戦略になります。

　ただ、僕は、「小さな時間軸は大きな時間軸に支配されている」というマルチタイムフレーム分析の考え方に、どうしても、小さな違和感を感じていました。

　だって、**何か物事が起こるときは、まず短い時間の中で急な出来事が起こって、その出来事がじわじわ大きな時間にも波及していくのが、モノの道理**じゃないですか？

「事件は現場で起こっているんだ」じゃないですが、長い時間を支配するトレンドも最初は「短い時間の中で起こっているんだ」ということです。

　つまり、長い時間のトレンドが短い時間を支配しているだけでなく、短い時間軸の中で起こったことが長い時間軸にじわじわ影響を与える流れもあるはずだ、というわけ。

　とにかく、僕は、ことテクニカル指標に関しては疑い深く、と

ことん納得するまで信じないタイプです。

やっぱり、「インジケーターはこのように使う」とか他人から言われても、ちゃんと自分で「インジケーターがどうやってできているのかを調べたうえで納得しないと使わない」という姿勢は大切だと思います。

かなり哲学的な話になっちゃってますが、この「短い時間が長い時間に波及する動き」をテクニカル指標でとらえることはできないか、と考えて思いついたのが、**異なる期間設定のボリンジャーバンド±2σバンドを同時に表示したらおもしろい**んじゃないか、というアイデアだったんです。

図44はドル円1時間足チャートに、6MAを中心線にした短期ボリンジャーバンドの±2σと、24MAを中心線にした長期ボリバンの±2σを同時に表示したものです。

ただでさえボリバンって線がいっぱいあって見にくいのに、2

図44　短期ボリバンの長期ボリバンはみ出しシグナル・具体例

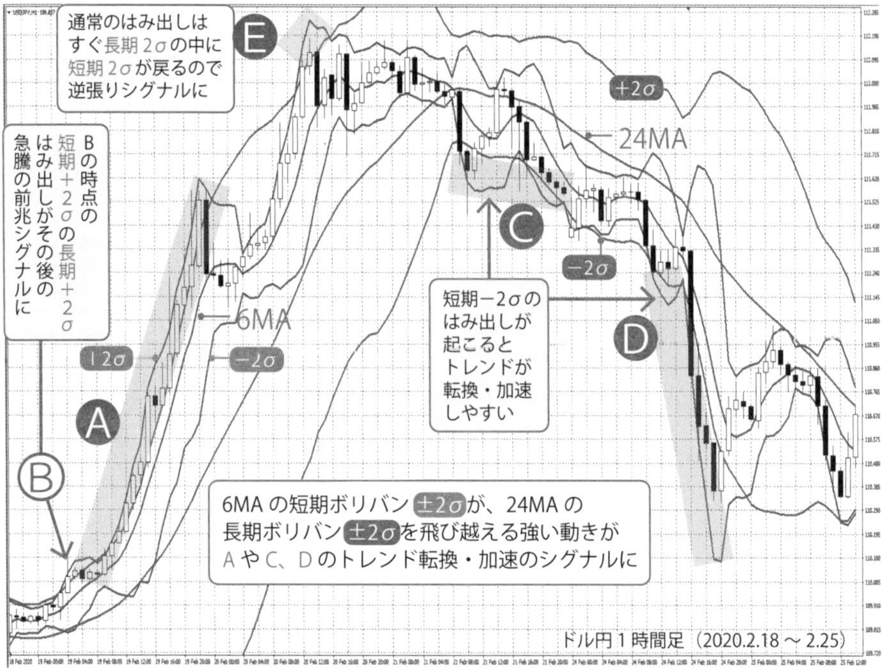
通常のはみ出しは
すぐ長期2σの中に
短期2σが戻るので
逆張りシグナルに
E
+2σ
24MA
Bの時点の
短期+2σの長期+2σ
はみ出しがその後の
急騰の前兆シグナルに
C
−2σ
短期−2σの
はみ出しが
起こると
トレンドが
転換・加速
しやすい
D
6MA
+2σ
−2σ
A
B
6MAの短期ボリバン±2σが、24MAの
長期ボリバン±2σを飛び越える強い動きが
AやC、Dのトレンド転換・加速のシグナルに
ドル円1時間足（2020.2.18～2.25）

つも表示すると「もー何がなんだかわかんない」といわれそうです。すみません。

それはともかく、マルチタイムフレーム分析の「短い時間は大きな時間に支配される」という考え方からすると、**通常、24MAを中心線にした長期ボリバンの±2σバンドのほうが、より短い6MAの±2σバンドより外側にある**はずです。

実際、図44を見ても、大半はそうなっています。

しかし、よく見ると、たまに、**6MAの±2σバンドが24MAの±2σバンドの外側に突き出る動き**も発生しています。

Aのゾーンでは、底ばいが続いたドル円の急上昇が起きていますが、その過程では6MAの+2σバンドが24MAの+2σバンドの外側にずっとはみ出し続けています。

これこそ、僕のいっている「短い時間の値動きが長い時間の値動きに逆に影響を与え、波及していく動き」です。

「6MAバンドの24MAバンド外へのはみ出し」が起こったBのポイントなどは、まさに底ばい相場から急上昇トレンドが始まる初動段階をとらえていて、このシグナルでロングエントリーして、「短期バンドのはみ出し」が続いている間、継続保有していたので、かなりの急上昇を利益に変えることができました。

上昇トレンドから下降トレンドに一変する画面右側でも、CやDのポイントから、今度は「**6MA-2σの24MA-2σ外へのはみ出し**」が始まり、**下降トレンド加速の号砲**になっています。

むろん、Eのゾーンのように、6MAの±2σバンドが24MAバンドの外にいったんはみ出したあと、再び、24MAのバンド内に戻るのが通常の値動きです。

長い目で見れば「大きな時間が小さな時間を支配する」というマルチタイムフレーム分析の教えが守られるので、「**はみ出し**」**が長期間続くことはありません**。よって、6MAの±2σバンド

のはみ出しが発生したあと、ローソク足自体が反転してバンド内に戻ろうとする動きがあったら、その動きに追随して、「**6MAバンドのはみ出し**」**を逆張りシグナルとして活用することも可能**です。

「Clipper M」＋「ボリバンはみ出し」は使えるか

この「短期ボリバンはみ出し」を、Clipper Mを利用した裁量トレードに使えるかどうか検証してみましょう。

図45は2020年4月15日に発動したClipper Mの負けトレード前後のドル円1時間足チャートです。

そこに6MAボリバンの±2σと24MAボリバンの±2σを表示してみました。

負けトレードが発生したエントリーと決済個所に印をつけま

図45　トレンド転換とボリバン「はみ出し」シグナル・具体例

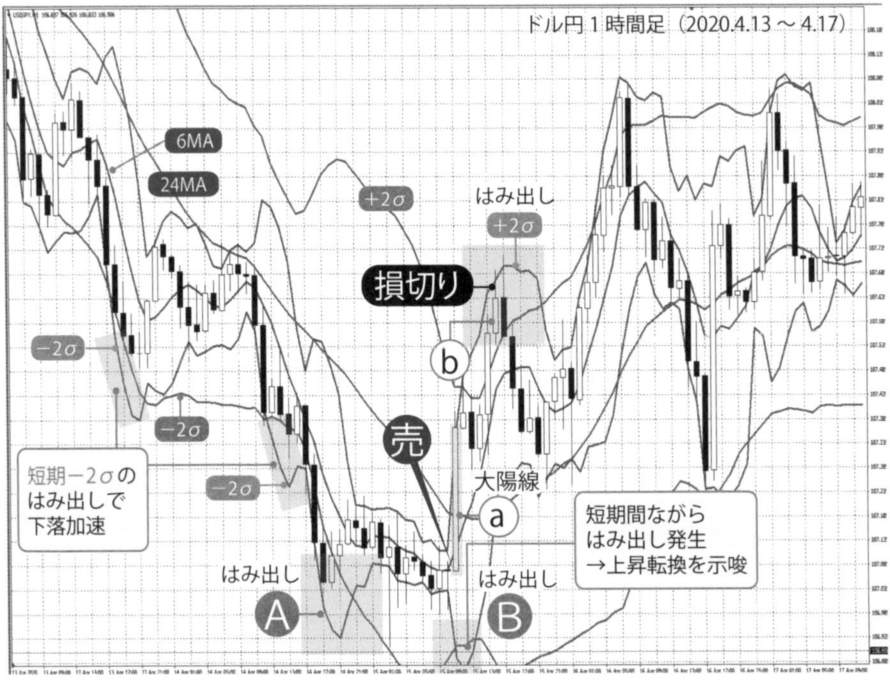

したが、エントリー前のAのゾーンでは「6MA-2σバンドの24MA-2σ外へのはみ出し」が起こっています。

その後、いったん6MA-2σバンドは24MAバンド内に回帰して値動きも底ばい状態に戻ったものの、再び下落が加速してもおかしくない場面でした。

しかし、エントリー直後に大陽線aが出て、状況が一変しました。**この大陽線aの出現で、再びBのゾーンで6MA-2σバンドのはみ出しが発生**していますが、こちらはAのゾーンのはみ出しとはニュアンスが違います。

Bのゾーンのはみ出しは、**大陽線aの出現で上方向のボラティリティが高くなったために発生**したもの。

つまり、「大きな時間軸の流れではいまだ下降トレンドが継続しているものの、小さな時間軸の中で急激な上昇が起こったせいで、短期バンドが長期バンドをはみ出した」という状況です。

そして、この短期バンドのはみ出しはすぐに長期の時間軸にも波及して、下降トレンドから上昇トレンドへの急激なトレンド転換が起こっています。

結局、エントリー後から6時間経過した上ヒゲ陽線bの上ヒゲで、Clipper Mの損切り基準であるATR（14）×5倍分、反対方向に振れたので自動損切りとなりましたが、もし、Bの短期ボリバンはみ出しをリアルタイムに見ていたら、まだ傷が浅いうちに損切りできたかもしれません。

あくまで結果論で、実戦で使えるかどうかはまだ検討中ですが、**「短期ボリバンの長期ボリバンはみ出し」をトレンド転換の初動シグナルやトレンド継続中の逆張りシグナルとして使うと効果がある**のかも、と考えています。

僕は、FXの取引自体はClipper Mを筆頭にしたシステムに任

せて、この例のように「テクニカル指標の違った活用法やアイデア」を日々、ああでもない、こうでもないと考えています。

　そのためには、まずテクニカル指標の成り立ちや計算方法、その指標が値動きの何をとらえようとしているのか、といった知識と理解が必要です。裁量トレーダーを究めるうえでも、テクニカルをきちんと理解したうえで、「もっと別の使い方はないか」「この使い方ならどうか」、いろいろ考えてみると、トレードの幅も格段に広く深くなると思います。

裁量は臨機応変。そこにシステムの発想力を加える

　コンピュータは、数値化したデータを使った計算にはめっぽう強いのですが、人間がぱっと見てなんとなく「そうかな」と思うようなことには弱い、という面があります。

　前にも触れましたが、裁量トレーダーの中には、過去の高値と高値が重なっている価格帯にいとも簡単に水平線を引いて、「このラインが抵抗帯・支持帯になるな」「このラインを抜けないと逆方向に転じるな、抜けると値動きが加速するな」といったライン分析を使ってトレードしている人も多いと思います。

　たとえば、図46は上昇トレンドが続いていたドル円が高値をなかなか更新できず、結局、下降トレンドへ転換するまでの値動きを示したドル円1時間足チャートです。

　高値圏で上下動する過程では、短時間ながらもローソク足＞6MA＞24MA＞120MAの上昇パーフェクトオーダーが何度か完成。もし、その時点がClipper Mの設定するエントリータイムだったら買いで入って損切りで終わるトレードが多発していました。しかし、裁量トレーダーがこの値動きを見たら、上昇トレンドの最後につけた2つの高値が「ダブルトップ」のような形状

になっていることから、上昇トレンドの終焉をかなり早い段階で察知することができたでしょう。図の中の高値を結ぶと右肩下がりのトレンドラインを引くことができますが、**裁量だと一発で引けるこのラインの引き方をコンピュータに教え込むのは至難のワザです。**

　画面左側のダブルトップ気味の2つの山の間の中間安値Aを起点にネックライン①を引くと、このラインが高値持ち合い相場の支持帯になったり抵抗帯になったりしていることもわかります。

　高値持ち合いから下降トレンド入りする号砲になったのも、Bでこの水平線①を割り込んだ下値ブレイクが起こったからです。

　いったん陰線aまで下がったあと、陽線bが出て再浮上しましたが、ネックライン①や24MAが抵抗帯の役目を発揮して上昇をブロック。陰線cが出現した地点では、6MAと24MAのデッドクロスも上値を阻む抵抗帯になっており、その後の下降トレン

図46　システムが認識できないチャートパターンや水平線

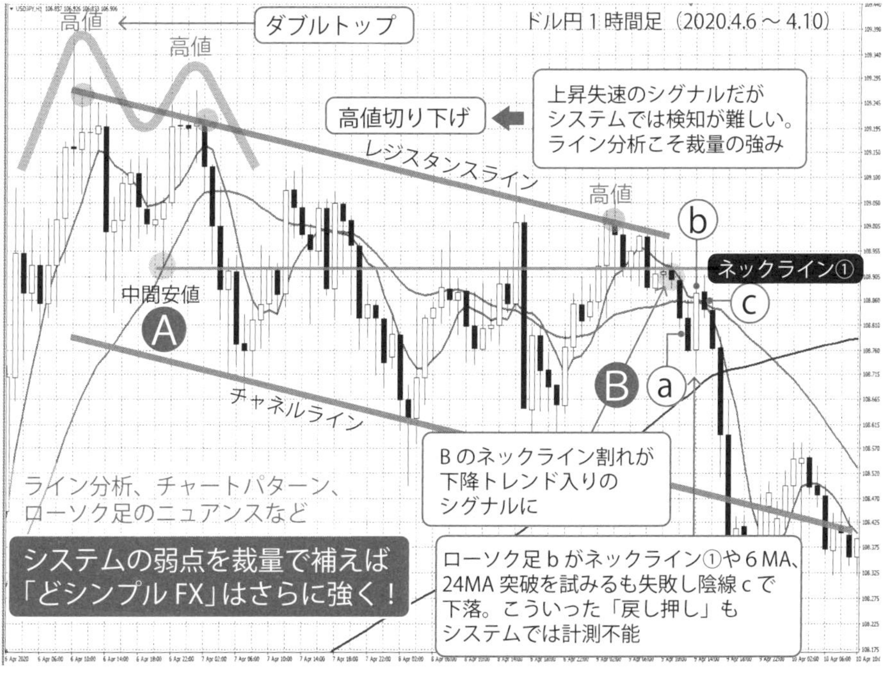

ライン分析、チャートパターン、ローソク足のニュアンスなど

システムの弱点を裁量で補えば「どシンプルFX」はさらに強く！

ド入りを予測することができました。裁量トレードでは重要な役割を担っている水平のネックライン①ですが、こういう曖昧な線もコンピュータで引くことはなかなかできません。**システムトレードの場合、「ダブルトップ」を認識すること自体が困難ですし、その中間安値（ネックライン）を探すのも苦手です。**

　最近はfacebookに開設したコミュニティサイトやTwitterを通じて、多くのシステムトレーダーの方と出会い、こうしたチャートパターンや過去の高値・安値を数値化して、コンピュータに理解させる方法についても研究開発を進めています。

　システムに過去の高値と安値を認識させ、その値幅間でフィボナッチリトレースメントを行い、どの水準まで「下げたあとの反転上昇」「上げたあとの反転下落」が進むとレンジになりやすいのか、といった過去検証をシステムトレード仲間と行っています。

　FXの世界は、「人間がAIにいずれ完敗する」ということはないと思います。なぜなら、FXトレードは人間がお金儲けという欲望のために行うもので、値動きを動かす投資家心理や需給関係には、将棋や囲碁のような厳密なルールなんてないからです。**「なんとなく」というファジーな視点で値動きを見る、ということにかけてはやはり裁量のほうが速くて、的確な判断ができる部分もあるわけです。**

　システムでできることはシステムで行い、システムでは判断しづらい部分を裁量で補う。システム的な思考をもって経験とか感触とか勘や運に頼りがちだった裁量トレードをより進化させる。

　裁量トレーダーが持つ、柔軟で小回りが利き、大局的な観点から相場を見ることができる能力を生かして、システムトレードの精度をより向上させる。そうした相互補完、フィードバック、Win-Winの関係をうまく引き出すことが、FXトレードの理想形なのだと僕は思います。

トレーダーとしての 自分の「現状と課題」

僕自身、変わらなくてはいけない

2020年、世界は新型コロナウイルスという未知なる感染症に襲われ、多くの人々が「ステイ・ホーム」を掲げ、在宅時間が以前より遥かに長くなっています。

このウイルスがもたらしたものは、大きな痛みのともなう「新しい世界」ですが、そんな新しい世界を僕たちは乗り越え、乗りこなしていかなくてはいけません。

ことトレードにおいても同じで、今回のような有事の際には為替や株価は急落したり、暴騰します。その後は方向性が定まらず、推し量れない未来のせいで膠着したりします。

僕のシステムは**「急落暴騰」**には、うまく対応できていましたが、その後の**「膠着状態」には極端に弱いので、この課題を改善することが目下の目標**です。課題は明確なので焦ってはいませんが、ブログで成績を公開している通り、2020年の後半は苦戦を強いられそうです。

「膠着状態＝レンジ相場」に対する解決策としていくつか考えていることがあるので、今はそれらのプラン検証とデータ取りに時間を費やしていて、データが出そろったら新しいロジックの構築、ひいてはシステム開発を行う予定です。

システムの開発状況はTwitter（@hirospeculation）で随時報告していきますので、ぜひこれからの僕を見守っていただければと思います。

また、**本書で触れた「ClipperMの裁量トレード」**ですが、言っ

た以上は僕も研究を続けていきます。

　もし「こんなルール、どう思いますか？」などあれば、メンション飛ばしてもらえれば対応しますね。研究が進めば、その進捗状況なんかもTwitter（@hirospeculation）で報告していきますので、そちらも楽しみにしていてください。

「FIV」とは何か

　最後に少し宣伝を。本書でも何度か紹介したFIVですが、一言でいうと、EAでＦＸ「運用」をするために必要な知識や経験を得るためのコミュニティです。

　具体的には、

①EAにするトレード手法を考案するための、テクニカル知識や過去の値動きデータの取り方・分析の仕方
②①で得た知識を体系化して1つのトレード手法にするための思考方法
③でき上がったEAが使えるものかどうかを測る評価手法
④③で「いける！」となったあと、実運用の際にどのくらいのリスク（賭け金）で運用をするのか、ポートフォリオ化をどのように考えるのか
⑤運用を実際に始めてからの経過報告を受けてのアドバイスなど

　といったことを共有しています。

　⑤についてはようやくチラホラと実運用スタートの報告をもらえるようになってきました。

　ポートフォリオ実運用を始めたメンバーも何人か出てきました。こういうのは嬉しいですし、今後どんな報告が聞けるのかとても

楽しみです。

あと、このコミュニティを通じて「採用」的なこともしました。

とはいっても、給料は払っていません。仕事というよりは「部活」といったイメージのほうがしっくりくるかも。ただし、この採用においては、部費の徴収はしておりません。

コミュニティ内で秀でてプログラミングができる人を、内部募集して初回は5人を「採用」することができました。

これまで一人所長の運営する「メタトレ研究所」でしたが、名実ともに「研究所」になったといった感じです。

開発の速度や精度が格段に上がり、今は他の有名トレーダーやYouTuber（主に裁量トレーダー）と共同でトレード分析やシステム開発ということも始めています。

このコミュニティに入ったからといって、「ラクに稼げるようになりますよ」なんて、言いません。でも、**FXの技術を高めていきたい人には、ピッタリのコミュニティ**だと思います。

ぜひ、僕といっしょに「ああでもない」「こうでもない」と、フラットな関係でFXの技術を高めていけたら、こんなに嬉しいことはありません。

適正ロットを自動で割り出すツール

それと最後に、ここまでお付き合いいただいたお礼の意味で、あなたに1つ「プレゼント」をいたします。

そのプレゼントとは、**トレードをする際、「自動的に」適正ロットをはじき出してくれるツール**です。

裁量トレードは、トレードするたびに資金量に対して「いくらの金額（ロット）を投資するのが適正か？」というのを考え、計算して割り出す必要があります。しかし、このツールがあればそ

んな面倒なことをしなくても、**トレードのたびに事前に設定した**
値をもとに自動的に適正ロットを算出してくれます。

　ハッキリ言ってめちゃくちゃ便利なツールなので、ぜひ活用し
てください。

　プレゼントは、下記記載の「QRコード」を「LINE」で読み取っ
ていただければ、すぐに無料でダウンロードできるURLをお届
けしますね。

　YouTubeやTwitterをはじめとしたSNSを通じて、FIVなど
のコミュニティを通じて、従来型の「引きこもり専業トレーダー」
にはできないことができるようになってきており、日々充実感を
覚えます。寝る時間が減ってしまうのは辛いですが（笑）。

　ここまでお読みいただき、ありがとうございました。

　本書があなたのトレード生活のお役に立てるよう、心より願っ
ております。

2020年10月　メタトレ研究所所長 ヒロ

※ツールの提供は書店・図書館・出版社とは関係ありません。

※ご不明な点は、info@akashi-trade.com（ヒロ）までご連絡ください。

※提供は、予告なく終了することがあります。

「元手10万」、「初心者」、
「月1回のトレード」からOK
専業or副業？どちらも可能！
ディフェンス力MAX　統計学としての投資

【第1章】FXを生涯スキルに！「最強メンタル」育成法
【第2章】鬼速で成長する「トレード日記」のつけ方
【第3章】ダマシは「環境認識」で見抜く　笹田式トレード基礎編
【第4章】勝率87.5%「スナイプトレード」の奥義
【第5章】初心者でも月収35万！「鉄壁フラッグトレード」

【著】笹田喬志

A5並製 1500円（＋税）ISBN978-4-8272-1218-1

Hiro（ひろ）

◎プロ FX トレーダー。

◎ 1990 年生まれ。中央大学在籍時に映画『ウォール街』に影響を受けて FX を 5 万円でスタート、1200 万円に増やすことに成功。大学卒業後、大手証券会社に就職するも、9 か月で退職、以降は専業の FX トレーダーに。2016 年、裁量トレードで 2446 万9291 円の最高年収を叩き出すも、結婚・出産を機にプログラムを独学で習得、2017 年、システムトレード中心のスタイルに移行。思いついた手法は、最低でも過去 7 年分のヒストリカルデータかつ 500 回分の取引データを検証する。

◎ YouTube『メタトレ研究所 hiro』、ブログ『無職ニートトレーダーの記録 メタトレ研究所ヒロのブログ』、Twitter などで情報発信を行い、投資成績は 1 円単位で公開。自身の運営する投資コミュニティ『FIV（フィブ）』では、「投資に学びを、人生に豊かさを」をコンセプトに、正しい投資知識やお金の教養を身に付けてもらうため、コンテンツを無償で提供している。

◎空いてる時間にやってること：子育て、瞑想、ピアノの練習、読書、散歩。

【YouTube】メタトレ研究所 hiro
【Twitter】@hirospeculation
【ブログ】無職ニートトレーダーの記録 メタトレ研究所ヒロのブログ

◎装丁　安賀裕子
◎校正　本創ひとみ
◎編集　荒川三郎

どシンプル FX
裁量で月収 203 万だった僕が、月収 48 万の自動売買に転向した理由

2020 年 10 月 29 日　　初版発行

著　者　　H　i　r　o
発行者　　和　田　智　明
発行所　　株式会社 ぱる出版

〒 160 - 0011　東京都新宿区若葉 1 - 9 - 16
03（3353）2835 －代表　03（3353）2826 － FAX
03（3353）3679 －編集
振替　東京 00100 - 3 - 131586
印刷・製本　中央精版印刷株式会社

Printed in Japan

ISBN978-4-8272-1241-9　C0033